TSUKUBASHOBO-BOOKLET

暮らしのなかの食と農――69

窒素過剰問題とドイツの有機農業

河原林 孝由基・村田 武 著

Kawarabayashi Takayuki, Murata Takeshi

筑波書房ブックレット

目　次

はじめに
有機農業のパーパス（存在意義）を考える

「新自由主義」の流れをくむわが国を含む主要国の資本主義は、行き詰まりを見せている。環境問題に対する世界的な関心の高まりに加えて、新型コロナウイルスの世界的な感染拡大を契機として、「株主至上資本主義」のもとで進行していた格差が浮き彫りとなった。従来の資本主義が「大転換期」を迎えているという認識に立ち、新しいサステイナブル（持続可能）な資本主義のかたちを追求しなければならない。

以上は、2020年11月に日本経済団体連合会（経団連）が提言した『。新成長戦略』の時代認識（取りまとめの背景）である。提言のタイトルには、これまでの成長戦略の路線にいったん終止符「。」を打ち「新」しい戦略を示す意気込みが込められているという。経済界は、資本主義社会の主要なプレイヤーとして、事業活動を通じ、多様な主体との関わり合いのなかから「価値」を協創・提供し、環境問題や経済的格差等の課題解決に、これまで以上に積極的に取り組む責務があるとしている。

2015年に国連サミットでSDGsが採択され、続くCOP21（国連気候変動枠組条約第21回締約国会議）で地球温暖化対策の国際的枠組協定「パリ協定」が採択されて世界はさまがわりした。2019年には米国の経営者団体「ビジネス・ラウンドテーブル」がそれまでの株主至上主義（短期的な株主利益の追求）を脱して、地域社会や従業員など全ての利害関係者に配慮する「ステークホルダー資本主義」への転換に署名した。企業のパーパスについての方針を一新し、顧客、従業員、環境、社会などの利益を尊重することを表明し、世界に衝撃を与えたのである。以来、わが国においても大手企業を中心に「パーパスの再定義」がある種のブームとなっている。

ここでいうパーパス（purpose）とは、日本語でいう「存在意義」に語感が近い。従来、企業が掲げてきたミッションやビジョンなどが主に「何を（What）」に焦点を当てるのに対し、パーパスは「なぜ（Why）」を徹底的に考える。急速に変化し先が見通せないVUCA（“ブーカ”、Volatility：変動性、Uncertainty：不確実性、Complexity：複雑性、Ambiguity：曖昧性）と呼ばれる時代にあって、「何を（What）」するかは時によって変わるが、「なぜ（Why）」はぶれない軸となる。その端緒は2008年のリーマン・ショックの反省として、2009年に登場した「ゴールデンサークル理論」[1]にみることができる。ゴールデンサークルとは、**図**のようにWhy（なぜそれをするのか）→How（どうやってそれをするのか）→What（何をするのか）という順序でWhyを中心に位置づけて考えることをいう。Why（なぜそれをするのか）こそが事業の「目的」つまりは「存在意義」なのであり、How（どうやってそれをするのか）はそれを形にして実現する「過程」であって、What（何をするのか）はその「結

図　ゴールデンサークルのイメージ

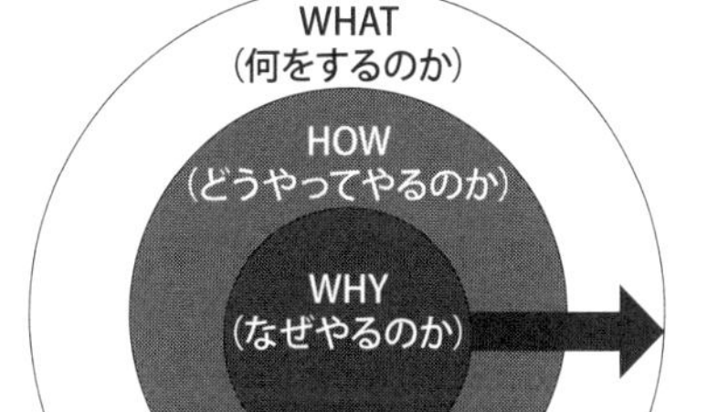

1）アメリカの経営コンサルタントであるサイモン・シネック（Simon Sinek）が「TED Talks」（ネットを通じて行なわれている動画の無料配信プロジェクト）で提唱した理論。

果」である。

さて、このように考えると、本書が基本テーマとする有機農業のパーパス（存在意義）とはいったいどこにあるのか。「化学的に合成された肥料及び農薬を使用しない農法」(で生産した農産物）というのではWhat（何をするのか）あるいはHow（どうやってそれをするのか）であって、Why（なぜそれをするのか）とはいえない。有機農業のパーパス（存在意義）は本書での論究でも明らかにように「地球上の生命の生存基盤である健全な物質循環を取り戻す」ことにある。現場では、そのパーパスを共有したうえで、得意分野と独自性を発揮していくことになるのではないか。

私たちは食習慣や食の選択によって、生態系をはじめ環境負荷、気候変動、労働者の搾取、飢餓といった環境的・社会的な問題に多岐にわたって影響を及ぼしている。欧州やアメリカでZ世代[2)]と呼ばれる若者の間では、有機農産物を購入する動機として、安全安心で「人（自分や家族）にやさしい」から買うのではなく、「地球にやさしい（人にもやさしい)」から買うといった感覚になっていると聞く。今日ではSDGsの議論が真っ盛りなのはいうまでもないが、「持続可能な開発とは、将来の世代のニーズを満たす能力を損なうことなく、現在の世代のニーズを満たす開発である」――持続可能な開発の議論は1987年の国連「環境と開発に関する世界委員会」(通称「ブルントラント委員会」）でのこの報告に始まっている。今の自分にやさしいのではなく、

2）1990年代中盤以降に生まれた世代をさす。生まれた時点でインターネットが利用可能であった最初の世代である。スマートフォンを日常的に使いこなしSNSにも馴染みがあり、ソーシャルメディアでのコミュニティ形成を重視する特徴がある。また、「モノ（商品)」よりも「コト（サービス・経験)」に価値を見いだす傾向があり、他者との競争よりも自己実現や社会貢献に対する欲求が高いという特徴も指摘されている。

将来世代の選択肢を奪うことのないように未来にやさしい、つまり地球にやさしいといった視点が必要なのである。

本書は、筑波書房ブックレット「暮らしのなかの食と農㊲」『環境危機と求められる地域農業構造』(2022年７月刊）の続編である。われわれはこの間に、M・ベライテス『ゲルトナーホーフ・ドイツの移住就農小規模園芸農場』(筑波書房、2023年３月刊）を翻訳出版し、ドイツの代表的有機農業運動であるデメーテル・バイオダイナミック農法に注目してきた。2022年11月には、ブランデンブルク州の２つのデメーテル農場を調査した。そのなかで、デメーテル・バイオダイナック農法が、無農薬・無化学肥料に終始する有機農業運動ではなく、温室効果ガスの削減を迫られているドイツ農業にあって、それが窒素過剰問題への取り組みの最前線に立つ有機農業運動であることに注目させられることになった。

本書では、第１章で有機農業と物質循環を取り上げ、まさに窒素循環問題が焦点であることを見る。次いで第２章では、まずドイツにおける有機農業運動の全体像を見るとともに、デメーテル・バイオダイナミック農法の欧州でもっとも厳しいとされる有機農業基準が窒素循環を問題にしていることを紹介し、２つのデメーテル農場、すなわちマリエンヘーエ農場とゲルトナーホーフ・シュタウデンミュラーでその実際を見る。前者については、『農業協同組合新聞』第2493号（2023年１月25日号）で「地域内資源循環が決め手」と題して調査結果を報告した。第３章では、窒素過剰対策として浮上している畜産問題についてのドイツ連邦政府の「畜産物表示義務法案」を、第４章ではAbL（農民が主体の農業のための行動連盟）の連邦政府のそうした動きに対応した「意見書」を紹介する。

第１章
有機農業と物質循環

はじめに

今、私たちは地球の歴史からみて特異な時代を生きている。産業革命以降の産業発展、とくに1950年代以降の人間活動の爆発的増大は地球そのものを大きく変えてしまいかねない状況にある。

経済活動は人類に繁栄をもたらしたが、その活動の大加速化「グレート・アクセラレーション」(Great Acceleration)（**図1-1**）は富や食料の偏在を拡大し、増え続ける消費によるエネルギー・土地・水の

図1-1（1）　社会経済学的傾向

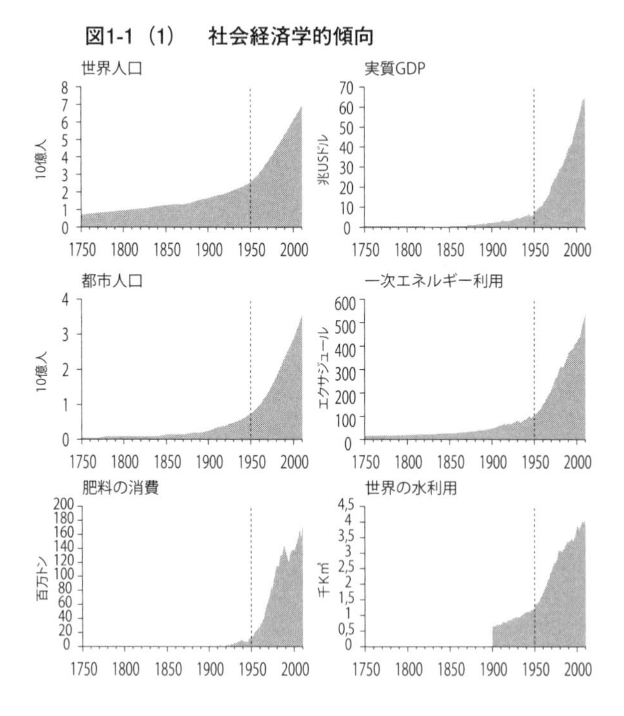

爆発的な需要増大など、過去に例のない地球規模の環境変化を引き起こしている。気候変動・生物多様性への甚大な影響が指摘されており、地球の歴史上、人類（Homo sapiens）というたった一つの種が地球全体の環境を変えてしまう初めての出来事になるともいわれている。地質学的にも人間活動の影響で地球を変えてしまったことを示す痕跡（例えばプラスチックや放射性物質の微粒子など）が残る、新たな地質年代「人新世」（Anthropocene）に突入したと唱える著名な学者[1]もいる。

図1-1 (2) 地球システムの動向

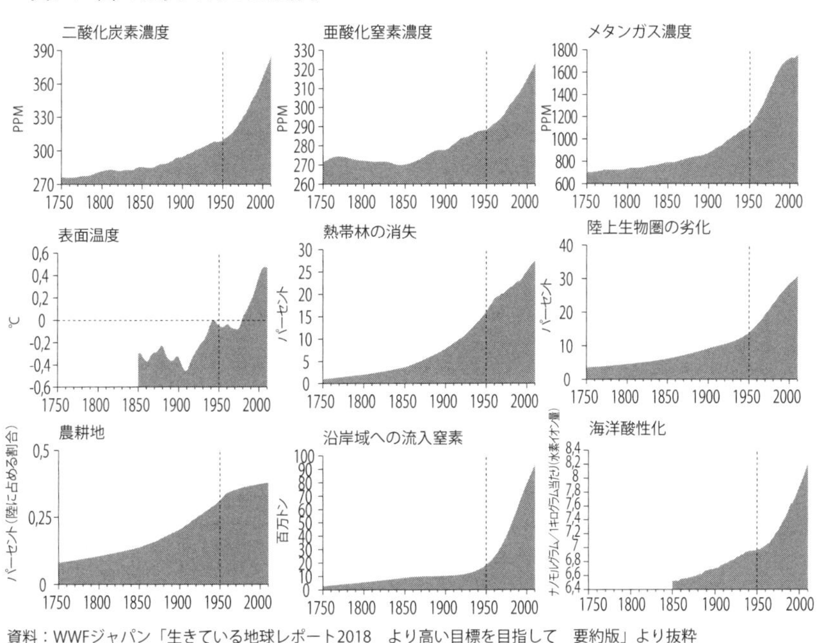

資料：WWFジャパン「生きている地球レポート2018　より高い目標を目指して　要約版」より抜粋

1）「人新世」（Anthropocene）という造語はオランダ人の大気化学者でノーベル化学賞を受賞したパウル・ヨーゼフ・クルッツェン（Paul Jozef Crutzen、1933〜2021年）らが2000年に提唱したことに始まる。

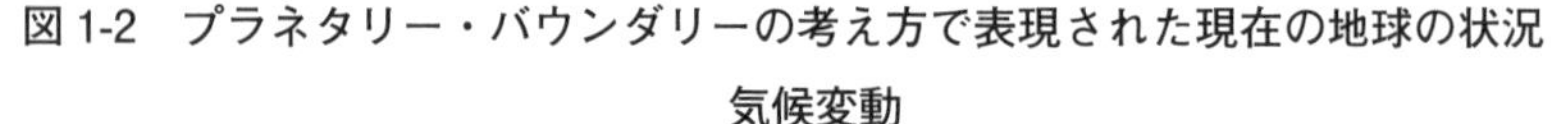
図1-2　プラネタリー・バウンダリーの考え方で表現された現在の地球の状況

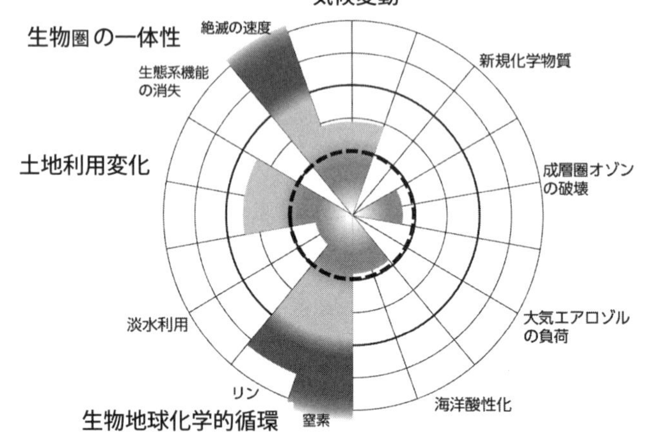

資料：Will Steffen et al.「Planetary boundaries ： Guiding human development on a changing planet」より環境省作成

プラネタリー・バウンダリー（Planetary Boundary：地球の限界）（**図1-2**）という考え方がある。ドイツのポツダム気候影響研究所長ヨハン・ロックストローム（Johan Rockström、ストックホルム大学時代にストックホルム・レジリエンス・センターを設立し同所長を歴任）らが提唱する概念で、気候、水環境、生態系などが本来持つレジリエンス（resilience：回復力、強靭性）の限界を超えると、不可逆的な変化が起こりうるというものである。

その指標として、①生物圏の一体性（生態系と生物多様性の破壊）、②気候変動、③海洋酸性化、④土地利用変化、⑤持続可能でない淡水利用、⑥生物地球化学的循環の妨げ（窒素とリンの生物圏への流入）、⑦大気エアロゾルの負荷、⑧新規化学物質による汚染、⑨成層圏オゾンの破壊をあげ、この枠組みで中核となるのが「気候システム」と「生物多様性」である。これら指標は複合的に絡み合い、今のままでは「地球の限界」を超えてしまう。少しずつ気づかないぐらいの変化がある時点で急激な変化となり元に戻らない「ティッピングポイント」（tipping point：転換点）が迫っている。取り返しがつかなくなってからでは遅い。この強い危機感が2015年に国連サミットで採択されたSDGs（Sustainable Development Goals：持続可能な開発目標）の土台にもなっている。

世界は「持続可能性」と「脱炭素化」へ大きく舵を切った。考え方の枠組みが劇的に変化（パラダイムシフト）しており、すでに“常識”が変わりつつある。これからの活動は、そのことを強く意識することが必要である。“茹でガエル”になる前に。

1．人類による窒素の大量放出と農業との連関

プラネタリー・バウンダリーの考え方では人類が地球に与えている影響は、生物圏の一体性（絶滅の速度、生物多様性の破壊）ならびに生物地球化学的循環、とりわけ、窒素の生物圏への流入は人類が安全に活動できる範囲を越えるレベルに達しているとの見方がある。

産業革命以降、とくに20世紀になって人類が環境に大量に放出し始めた物質がある。化石燃料の使用を中心とした二酸化炭素（CO_2）の大量排出は言をまたないが、もう一つ大量に放出しつづけている物質がある。窒素（N、窒素化合物を含む）である。窒素は生命にとってタンパク質などを構成する重要な元素であり、植物にとってもリン（P）、カリウム（K）と並んで肥料の３大要素の一つとなっている。窒素は大気の約８割を占める気体の状態で大量に存在するが、窒素ガス（N_2）は常温では化学的に不活性（極めて安定しており、他の元素と化合しない）であることから、一部の微生物を除いて植物も動物

もそのままでは大気中の窒素ガスを栄養として取り込むことはできない。

肥料の歴史をたどると、1840年にドイツの化学者リービヒ（Justus Freiherr von Liebig、1803〜1873年）が植物は栄養素を無機物として吸収すること（無機栄養説[2)]）を明らかにし、その後、化学肥料が広く使用されるようになっていく。窒素肥料は、20世紀初頭まではチリで発見された鉱石（硝酸ナトリウム、チリ硝石）の利用が主体であったが、決定的な転機となったのはドイツの物理化学者ハーバー（Fritz Haber、1868〜1934年）とボッシュ（Carl Bosch、1874〜1940年）が大気中の窒素を固定する技術の開発に成功したことである（1909年のハーバーによるアンモニアの合成と1913年のボッシュらによる工業化）。ハーバー・ボッシュ法と呼ばれるアンモニアの工業的製法で、鉄を主体とする触媒を使い、高温で窒素（N_2）と水素（H_2）を反応させて窒素化合物であるアンモニア（NH_3）を合成する（$N_2+3H_2 \rightarrow 2NH_3$）。これにより、人類は大気中にほぼ無尽蔵にある窒素から肥料の原料となるアンモニアを製造できるようになった[3)]。「空気からパンを作る」と形容されるほど画期的な発明であった。

窒素肥料（化学肥料）の大量生産を可能にしたことで食料増産が可能となり、20世紀以降の人口爆発を支えていくことになる。このことは先述のグレート・アクセラレーションをふり返ってみても、社会経

2）現在では植物が一部のタンパク様物質を吸収するという報告もあるが、吸収の主体はアンモニウムイオン（NH_4+）や硝酸イオン（NO_3-）といった窒素化合物である。

3）原料の窒素は大気中の窒素由来であり資源制約の問題はないが、もう一方のアンモニア合成に必要な水素は、現在ではコスト面から天然ガス、ナフサ等から製造（ガス法）しているのが一般的である。したがって、現在の窒素肥料の価格等は化石燃料の資源動向に強く影響を受ける構造になっていることに留意を要する。

済学的傾向として「世界人口」「実質GDP」「一次エネルギー利用」「肥料の利用（fertilizer consumption：主に化学肥料消費）」が爆発的に増大しているのがわかる。翻って、地球システムの動向をみると「農耕地の拡大」「亜酸化窒素（N_2O）濃度の上昇」「沿岸域への流入窒素の増大」「熱帯林の消失」などが認められる。

地球の長い歴史のなかで、生態系での窒素の収支バランスはおおよそ安定していたと考えられている。窒素の収支は、窒素がどれだけ生態系に入ってどれだけ出ていったかという「窒素循環」に拠っている。大気中の窒素ガスは根粒菌に代表される特殊な生物（窒素固定生物）によって生態系へと取り込まれる。これが土壌中の微生物によって窒素化合物（アンモニウムイオン〔NH_4^+〕や硝酸イオン〔NO_3^-〕などの形態）に変換される。土壌のアンモニウムイオン（アンモニア態窒素）や硝酸イオン（硝酸態窒素）は植物が栄養源として利用しアミノ酸やタンパク質などを作り、これを動物が摂取する（あるいは植物を摂取した他の動物を摂取する）ことで動物も窒素を体内に取り入れる。生物の死骸や動物の排泄物などは再び土壌中の微生物によって窒素化合物に変換される。一部の窒素は窒素ガスとして大気中に戻っていくものもあるが、この一連のプロセスが生態系による窒素循環の仕組み（**図1-3**）である。自然界における窒素の循環では、生態系のプロセスによって大気から固定化される窒素量と硝酸イオンが気体状の窒素に還元されて大気中に戻される量はほぼ釣り合っており、本来なら窒素の収支バランスは安定しているはずである。

ハーバー・ボッシュ法が発明され人工的な窒素固定が可能になると、農業分野はそれを用いた窒素肥料（化学肥料）によって食料を増産し、飢餓・食料不安・栄養失調をなくし、増大する世界人口を養うために十分な食料を生産しなければならないといった「食料充足性（food

図1-3　自然界における窒素の循環

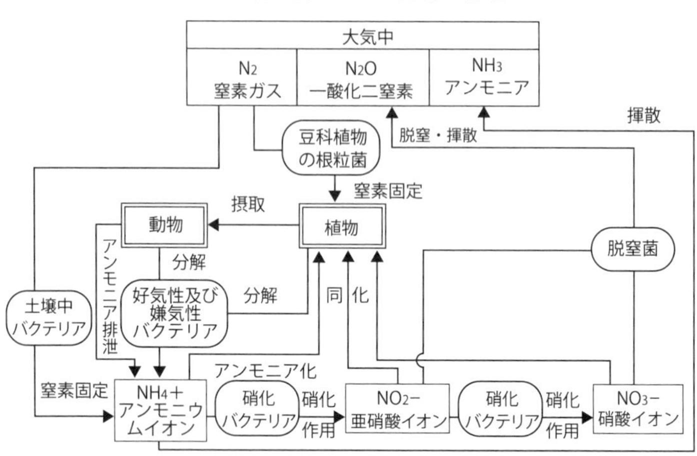

出典：石坂匡身・大串和紀・中道宏（2020）
※この自然界における窒素の循環とは別に、人類は陸上の生態系が自然に固定する窒素の量と同じくらい人工的に窒素を固定し環境に大量に放出している。

sufficiency)」の要求に応えてきた。しかし、食料増産のために行き過ぎた施肥が行われ、アグリビジネス主導の「農業の工業化」がいよいよ大量の固定窒素を生態系に蓄積させることになった。人間活動による人工的な固定窒素は、大規模な化学肥料の生産と施肥だけでなく化石燃料の燃焼などに起因するものもあるが、世界全体でのアンモニアの年間生産量（約２億トン）のうち約８割が肥料として消費されている（2019年データ）ことからも農業分野との関わりは非常に深い。人工的な窒素固定量は、陸上の生態系が自然に固定する窒素の量と同じくらいになっているといわれており、生態系での窒素の収支バランスは大きく崩れている。「今生きている私たち人間の体内にあるタンパク質の半分はハーバー・ボッシュ法で作られた窒素である」とされる所以である。

現時点ではその影響は十分に解明されていないが、生物にとって不可欠な「生元素」[4]と呼ばれる元素に関する変化では窒素が際立っている。このわずか1世紀あまりの間に地球上の窒素循環は激変した。地球の歴史からみて気候変動については過去に何度か起こっていたことが分かっているが、「窒素循環の大規模な変化は地球が初めて経験する事態であり、過剰な窒素の循環が今後どのような状況へと展開するのかは、今のところ誰にも予測できない」(国立大学附置研究所・センター会議（2018））との警告は重い。「地球の限界」を超えてしまえばもう元の世界には戻れない。どのような世界が待ち構えているのであろうか。

2．過剰な窒素が引き起こす問題の顕在化

ここまでは地球規模での窒素循環をみてきたが、過剰な窒素およびその化合物の局地的偏在などに起因する問題が各方面で顕在化してきている。

欧州では地下水に硝酸イオンが蓄積される傾向が認められるようになり、これを多量に含む飼料を食べた牛が酸素欠乏状態になったり、生後間もない人間の乳児が高濃度の硝酸イオンが混入している水を飲んでしまうと肌に青みがかる「メトヘモグロビン血症」（いわゆるブルーベビー症候群）を起こすことがある。硝酸イオン（実際には体内で亜硝酸イオンに変化したもの）は血中のヘモグロビンと結合するので酸素をうまく運べなくなる。そのため赤ちゃんの肌に青みがかるのであり、乳児や高齢者はとくに注意が必要であるとされている。WHO（世界保健機関）では「飲料水水質ガイドライン」を定め、窒素濃度を一定以下に抑えるよう指針を示している。

4）生体中に存在し、生命の維持・活動に不可欠な元素である。酸素、炭素、水素、窒素、カルシウム、リンなどがある。

この他にも、土壌中の微生物によるメタン（CH_4）の吸収量が過剰な窒素によって減少する。さらに余った窒素から亜酸化窒素（N_2O）が生成・排出される。これらは強力な温室効果ガスでもあり、メタンはCO_2の25倍、亜酸化窒素は298倍の温室効果（地球温暖化係数ベース[5)]）があるとされ、窒素過剰は地球温暖化を加速させるおそれがある。

農耕地や森林など陸上で利用しきれない過剰な窒素は下流域に流され海へと向かう。窒素はリンと同様に水域の富栄養化をもたらし、プランクトンの異常繁殖等によって水質の悪化や沿岸域での赤潮の発生などの悪影響をもたらす。米国のミシシッピ川下流域の沿岸地帯では、「デッドゾーン」（死の海域）と呼ばれる水域が増えているといった報告もある。「デッドゾーン」では、窒素やリンなどの栄養分が多く流れ込んだ結果、プランクトン（主に藻類）が大発生しそれを動物プランクトンが捕食し、分解される際に大量の酸素が消費される。そうしてできる貧酸素の水域では魚介類はじめ生物は窒息して死に絶えてしまう。

これらの問題に直面している各所で対策（戦術レベル）を講じることはもちろん重要であるが、共通するのは人間活動の増大によって地球上の物質循環やエネルギーの流れのバランスが崩れていることである。人類の生存基盤である物質循環、とりわけ今、大きくバランスを崩している窒素循環全体の回復・再生を見渡した取組み（戦略レベル）が求められている。

5）地球温暖化係数とは、温室効果ガスそれぞれの温室効果の程度を示す値。ガスそれぞれの寿命の長さが異なることから、温室効果を見積もる期間の長さによってこの係数は変化する。ここでの数値は、京都議定書第二約束期間における値。

3.「硝酸塩指令」にみるEUでの政策対応

EUでは1991年に「農業に起因する硝酸塩汚染に対する水質保護に関する理事会指令（91/676/EEC)」（いわゆる「硝酸塩指令」）を発令し、加盟国に地下水と地表水（河川、湖沼、貯水池などの地表に存在する水）の硝酸塩（硝酸イオンの流出）による汚染の防止・削減を求め、対策を講じるよう義務付け[6)]ている。具体的には、特定のサンプリング地点で地下水・地表水の硝酸塩濃度をモニタリングし、EUの基準値を超えている地域および適切な対策を講じなければ近い将来に超える危険性がある地域、水質の富栄養化が進んでいる地域を脆弱地帯に指定する。脆弱地帯内の農業者には、硝酸塩汚染や富栄養化を防止するために国が定めた行動計画を遵守することが求められる。行動計画には、投入可能な窒素量（化学肥料＋家畜ふん尿)、窒素の投入禁止期間（作物が生育できない冬期間など）や家畜ふん尿貯留施設の整備などに関する事項を定めなければならない。加盟国は４年ごとに硝酸塩指令に基づく実施状況をEUの政策執行機関である欧州委員会に報告しなければならず、同指令の違反が認められた場合には最終的に欧州司法裁判所に提訴される。

同指令の実施状況に関するこれまでの一連の報告書によると、EU全体でみると化学肥料使用量と家畜飼養頭羽数の減少によって農業からの環境圧力が有意に減少してきていることが分かる。ただし、その進度や状況は加盟国によってばらつきがみられ、地下水の硝酸塩濃度ではマルタ、ドイツ、スペインが目立って高く、うちマルタとドイツ

6）EU指令（Directive）は、加盟国の政府に対して直接的な法的拘束力を及ぼすものであり、その目標を達成する義務が生じ、国内法令の整備が求められる。

では国土全体を硝酸塩の脆弱地帯に指定している（西尾道徳（2007）（2010）（2013）（2018））。放牧地での牛の過放牧にともなう地下水の硝酸態窒素の上昇に悩むEU諸国の上水道の硝酸態窒素含基準値は25ppmである。この基準をクリアできないドイツは50ppmである。ちなみに、わが国の規制基準値は10ppmである。

ドイツは日本と違って、水道水の原水は地下水が４割を占めて主体となっているために、地下水の硝酸塩濃度は飲用水等で健康や生活に直結する身近な問題である。1991年の硝酸塩指令から30年以上にわたって汚染の防止・削減に取り組んでいるが、おしなべて平坦な地形が多いEUでは水の流れが緩やかなことなど農業者等による取組みと水質の改善との間にはタイムラグがあり、とくに地下水は水質の改善効果が顕著に表れるまでには数10年かかるともいわれている。最新の報告書をみてもEU全体で地下水の14.1％が依然として飲用水の硝酸塩濃度の上限値を超えている状況にある（European Commission（2021）、2016～2019年データ）。

現在、EUは環境配慮と経済成長の両立を図る全体戦略「欧州グリーンディール（European Green Deal）」のもとで、農業分野では持続可能な食料システムを目指して「ファームトゥフォーク戦略（Farm to Fork Strategy：農場から食卓まで）」に取り組んでいる。そこでは「2030年までに土壌の肥沃度を損なうことなく（硝酸塩を含む）栄養塩の流出を50％以上減らす」という共通の目標を設定している。1991年の硝酸塩指令に始まったEUの農業環境政策は、EUの全体戦略へと昇華し重要な構成要素となった。このような政策形成における長期的かつ継続的、総合的かつ統合的な視点は大いに参考とすべきであろう。

4. 有機農業という本質的な解決アプローチ

誤解を恐れずにいえば、わが国で有機農業といえば「化学的に合成された肥料及び農薬を使用しない農法」という理解が一般的である。しかし、これは有機農業のひとつの要件あって、有機農業はもっと豊富な内容をもっている。ちなみに、国際食品規格委員会（いわゆる「コーデックス委員会」[7]）で1999年に採択されたガイドライン[8]には「有機農業は、生物の多様性、生物的循環及び土壌の生物活性等、農業生態系の健全性を促進し強化する全体的な生産管理システムである」と規定されている。このガイドラインはIFOAM（“アイフォーム”、International Federation of Organic Agriculture Movements, Organics International：国際有機農業運動連盟）[9]が示した有機農業の基礎基準を参考として策定されている。そこに示されている有機

7）コーデックス委員会とは、消費者の健康の保護、食品の公正な貿易の確保等を目的として、1963年にFAO（国連食糧農業機関）ならびにWHO（世界保健機関）により設置された国際的な政府間機関で国際食品規格の策定等を行っている。日本は1966年から加盟。

8）「有機的に生産される食品の生産、加工、表示及び販売に係るガイドライン（CAC/GL32-1999）」に基づく。1999年採択、以降４回の改訂と５回の修正を経て2013年修正版が最新のもの。農林水産省翻訳版 https://www.maff.go.jp/j/syouan/kijun/codex/standard_list/pdf/cac_gl32.pdf

9）現在の正式名称はIFOAM-Organics Internationalで、1972年に設立され、有機農業運動の世界的な統括組織として117か国の800以上の団体を代表する国際NGO。本部はドイツのボン。構成メンバーは各国の小規模農家や有機農業団体、有機認証団体、コンサルタント、研究者、消費者、国際企業など。ISO（国際標準化機構）から基準設定機関として認定されている他、コーデックス委員会では公式なオブザーバーの地位を保持している。

農業の主要目的は要約すると、農業生態系と農村の物質循環を重視し、地力を維持・増進させ、生産力を長期的に維持し、外部への環境負荷を防止し自然と調和しながら、十分な食料を生産し、農業者の満足感と所得を保障することにあるとされる。

ところで、日本で「有機農業」という言葉は“organic farming”の訳語として一樂照雄（いちらくてるお）（1906～1994年）[10)]が1971年の有機農業研究会の発足時（1976年に日本有機農業研究会と改称）に用いたことに始まるといわれている。一樂はアメリカで有機農業の考えを普及させたJ.I.ロデイルの著書“Pay Dirt（1945年出版）”を『有機農法―自然循環とよみがえる生命―』として改題・翻訳出版し、有機農業の理念・理論の普及に努めた。そこには、有機農業は単に化学肥料・農薬を使用しないことにとどまらず、「物質・生命循環の原理」が内包され、それが環境保全や環境への負荷の軽減、持続可能性などの機能をもつ自然共生型農業であるとの含意があった。ちなみに、organicという用語は、イギリスの貴族であったウォルター・ノースボーン（Walter Northbourne）の造語で、彼の農場ではバイオダイナミック農法（デメーテル農法）を実践しており、1940年にその著書“Look to the Land”で、「有機」とは「複雑だが、各部分が、生物のものと同様に、必要な相互関係を有する」という意味で「有機的統一体‘organic whole’としての農場」という考えを提唱したことに由来するという（西尾道徳（2014））。

このように有機農業は当初から物質循環を強く意識したものであったということができる。これまでみてきたとおり、農業の営みは単に

10）農林中央金庫職員、同理事、JA全中常務理事、（財）協同組合経営研究所（現：（一社）日本協同組合連携機構（JCA））理事長を歴任。日本有機農業研究会の創設にも尽力。

経済行為にとどまらず物質循環の一環として大きな位置を占めている。現在の物質循環、とりわけ、大きくバランスを崩している窒素循環の原因は、EUにおける過剰窒素の問題をみるに、主として耕種農業における肥料の過剰投入と集約的畜産の拡大にあるといってよい。肥料についてはハーバー・ボッシュ法などで人工的に製造された窒素肥料（化学肥料）はもとより、有機物である家畜ふん尿であっても過剰投入すれば、先ずもって地域の生態系での窒素の収支バランスは崩れていく。集約的畜産については、その拡大によって地域で循環処理が可能な窒素量を超える家畜ふん尿が発生することになれば、同様に窒素の収支バランスは崩れる。畜産で用いる飼料穀物についても地域外のものであれば外部から窒素を余分に持ち込んでいることになる。敷衍すれば、外国から飼料穀物を大量に輸入することは、海外から窒素を大量に輸入していることといっても過言ではない。「農業の工業化」は大規模な農業機械の導入と化学肥料や農薬の多投などによって、経済性を追求し、複合経営から規模拡大をともなう単一経営への転換ならびに作目ごとの産地形成（地理的集中化、輪作の廃止）をもたらした。これらの結果、作物に必要な栄養分が特定の地域に集中的に蓄積し、過剰窒素の問題が顕在化した。このことは化学肥料・農薬の問題もさることながら、農業生産における物質循環が絶たれていることに本質的な問題がある。したがって、先ずは農場内、地域内での健全な物質循環を考えなければならない。有機農業（とくにバイオダイナミック農法等）では牛などの家畜を飼養した複合経営、耕畜連携にこだわるのは、家畜ふん尿など有機廃棄物を堆肥として化学肥料に代わるものとして循環活用したいがためだ。そこには農場と農場をとりまく環境（自然）をひとつの生態系「農場有機体」（organismus）と捉える全体論[11]的な考え方が内在している。

有機農業が普及する過程で表示・認証制度は不特定多数の消費者にその付加価値（プレミアムを支払うこと）を理解してもらうために重要な要素である。ただし、「化学的に合成された肥料及び農薬を使用しない農法」ということだけがマーケティングでことさら強調されるとなると事情は別である。とくにアメリカにおいて顕著であるが、1990年代後半から大手食品企業の有機農業分野への参入や買収が急速に進んだ（**図1-4**）。2000年には「有機食品がもっとも多く買われるのが一般スーパーになった」、いわゆる「スーパーマーケット有機」[12]である。「化学的に合成された肥料及び農薬を使用しない農法」という一面的な意味での有機農産物の広域流通や輸出入の拡大が進み、農場は大規模な単作を行い、有機食品の生産と長距離輸送に膨大なエネルギーを費やしている。いわばアグリビジネスによる「有機農業の工業化」というような様相を呈しているのである。

ここでもう一度、先述のグレート・アクセラレーションを振り返ってみよう。1950年代以降の人間活動の爆発的増大によるさまざまな影響とそのオルタナティブとしての有機農業運動の展開が軌を一にしているのは決して偶然ではない。現在、「化学的に合成された肥料及び農薬を使用しない農法」としての技術は理論的に整備されて進展をみているが、理論は「やり方」であってそれに通底する「あり方」、つまり理念があるはずだ。農業は自然界における物質と生命が循環する

11）全体論（Holism）とは、全体はそれを構成する部分の総和よりも存在価値があるとし、一個体は孤立して存在するのではなく、それをとりまく環境全体とつながっているという考え方。この考え方はロマン主義や有機体論的世界観といったドイツ人の精神性に大きな影響を与えている。

12）村田武／レイモンド・A・ジュソーム・Jr（監訳）『現代アメリカの有機農業とその将来　ニューイングランドの小規模農場』（筑波書房、2018年）第３章「スーパーマーケット有機はなぜ問題なのか」に詳しい。

図1-4　「スーパーマーケット有機」の産業構造：
大手食品加工業者による有機ブランドの買収

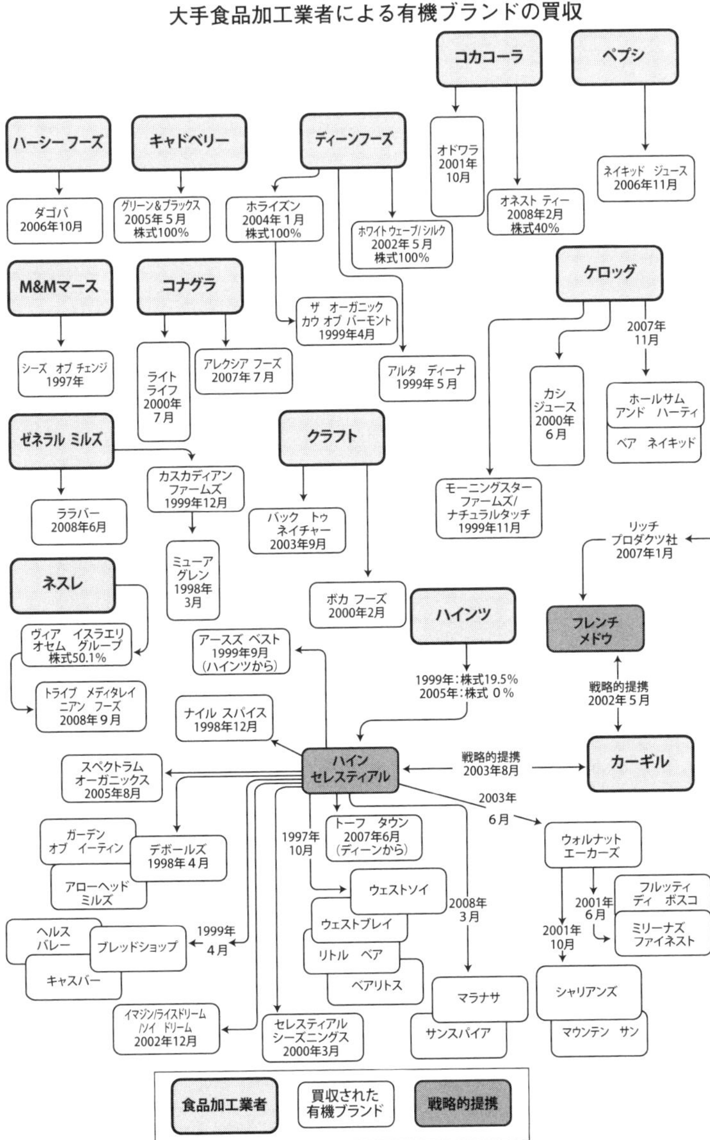

出所：P. Howard, "Organic Industry Structure: Acquisitions by the Top 30 Food Processors in North America."
　　　(https//www.msu.edu/~howardp/organicindustry.html. 2009年9月20日閲覧)
出典：村田武／レイモンド・A・ジュソーム・Jr（監訳）（2018）68ページ。

仕組みに人手を加えることで、収穫を安定・増加させる営みである。そして、その微妙な変化に接してもっとも早く感知できうるのも農業である。

有機農業のパイオニアたちはその変化を直感的に感じ取り、人類、否、地球上の生命の生存基盤である健全な物質循環を取り戻すことに挑戦してきたといえる。物質循環には多くの生命が介在しており、これを支える生態系サービスの機能を維持するためにさまざまな生き物がうごめいている状態、つまり生物多様性が前提となる。有機農業（とくにバイオダイナミック農法等）が単作ではなく多様な方法で野菜や果実など多種類の作物栽培や輪作にこだわるのは、健全な物質循環には微生物や昆虫・小動物など多くの生命の介在が不可欠との意味合いがある。また、物質循環には気候変動に大きな影響を及ぼしている炭素循環や水循環などもあり、有機農業ではこれら循環にも注意を払っているが、ここでは、とりわけ今、大きくバランスを崩し激変した窒素循環を取り上げて有機農業の意義と重要性をみた。有機農業を「化学的に合成された肥料及び農薬を使用しない農法」という技法に矮小化してはならない。理念なき有機農業というものはありえない。有機農業的発想は持続可能な世界を見据えている。今、私たちは人間活動によって地球そのものを大きく変えてしまいかねない特異な時代を生きていることを忘れてはならない。

次章では、このような有機農業の理念を具象化した取組みについて、デメーテル・バイオダイナミック農法の実践を中心にみていきたい。

わが国の有機農業は一樂にみられるように、アメリカのJ.I.ロデイル、その原点ともいえるイギリスの植物病理・微生物学者アルバート・ハワード卿（Sir Albert Howard、1873～1947年）の系譜に連なる英米系の流れに目を向けているが、世界にはもう一つの大きな流れとしてドイツ語圏を中心に欧州で活躍した神秘思想家・哲学者ルドルフ・シュタイナー（Rudolf Steiner、1861～1925年）が提唱した考えに由来するバイオダイナミック農法（デメーテル農法）がある。農学の専門的知識を有するハワードには、シュタイナーの神秘的な要素が含まれる農法には終始懐疑的であったが、農業への生態学的なアプローチや農場をひとつのまとまりとして捉える全体論的な考え方は両者に共通しているとみられる。欧米の有機農業に関する文献には、EUの有機農業基準とバイオダイナミック農法の基準（国際デメーテル・バイオダイナミック基準）とに準拠した作物生産を比較した研究が少なくなく、それらの多くがマクロ的には両者で類似した結果を報告（西尾道徳（2015））しており､農産物自体をことさら特別視する必要はない。したがって、ここではわが国ではどちらかというと研究が手薄になっているバイオダイナミック農法（デメーテル農法）に目を向けその実践について論究するものである。

第2章
デメーテル・バイオダイナミック農法

1．ドイツの有機農業運動

ドイツにおける有機農業運動は両大戦間期に始まるが、それが顕著な展開を見せるのは1980年代半ば以降である。1980年代にはEUにおける生乳・穀物過剰問題の深刻化のもとでの農産物価格支持水準の引き下げや、生乳生産クオータ制度の導入（1984年）のもとで、肥料・農薬等投入経費の削減とともに、慣行栽培に比較して収量は確実に劣るものの、有機産品が価格において有意の差を依然確保できたことが有機農業に生き残り策を見出そうとする経営戦略を相当数の経営に選択させたのである。

有機農業に取り組む経営とその栽培面積は1985年の1,610経営・２万5,000haから、2009年には２万1,047経営・95万ha、21年には３万5,718経営・180万haになっている。180万haの農用地種類別では、耕地が81万ha、永年作物・散在果樹草地が7,4万ha、永年草地が91万haである。耕地のうち作物別では穀物が38.4万ha、飼料作物が25.4万ha、マメ科作物が3.3万ha、野菜作が1.8万ha、ジャガイモが1.2万haである。穀物では、小麦が9.6万ha、ライ麦が6.7万ha、えん麦が6.3万ha、スペルト小麦が5.7万ha、大麦が4.4万ha、トリティカーレ（ライ麦と小麦の混合種）が3.2万ha、実取りトウモロコシが2.5万haである[1)]。

州別（2021年末）では、栽培面積の大きい順ではバイエルン州の

１）本節での数値データは、いずれもドイツ農業者同盟が年報として発刊している『情勢報告』（“Situationsbericht”）の2022/23年版によっている。

40.9万ha（農用地の13.8％で１万1,527経営）、ブランデンブルク州・ベルリン計20.2万ha（同15.5％で1,052経営）、メクレンブルク・フォアポンメルン州19.0万ha（同14.1％で、1,174経営）、バーデン・ヴュルテンベルク州20.4万ha（同14.5％で１万162経営）、ヘッセン州12.4万ha（同16.2％で、2,418経営）が大きい。有機農業に関しては旧東ドイツ北部州の大経営の参加が目立つが、旧西ドイツではバイエルン州とバーデン・ヴュルテンベルク州の南ドイツ２州が有機農業運動をリードしている。これは、両州での粗放化・農業環境景観保全プログラム（バイエルン州のKULAP、バーデン・ヴュルテンベルク州のMEKA）などの存在が後押ししているとみてよかろう[2)]。

ちなみに、ドイツ有機農業協会（Arbeitsgemeinschaft ökologischer Landbau, AÖL）によれば、有機農業には以下のような基準を満たすことが求められる。

１）作物・品種選択：①遺伝的多様性の保存
　　　　　　　　　　②有機農業として認証された農場産の種子や作物

２）輪作体系：①緑肥作物およびマメ科作物が主作目ないし間作目として十分な割合をもつこと

３）施肥と腐植質の確保：①基本は自給の有機質
　　　　　　　　　　　　②無機質肥料は代替ではなく補充にとどまること
　　　　　　　　　　　　③合成窒素化合物、溶解性燐酸塩、高濃度純カリ塩や強化カリ塩の使用禁止

２）バーデン・ヴェルテンベルク州の「粗放化・農業環境景観保全給付金」制度（MEKA）については、村田武『現代ドイツの家族農業経営』（筑波書房、2016年）の第３章を参照されたい。

4）植物保護：①化学合成農薬の使用禁止
②病虫害は輪作、品種選択、土壌耕耘などによって予防
③有益な生物（益虫や益鳥など）の数を生け垣、営巣地、湿地ビオトープなどによって増やすこと
5）家畜飼養：①種に適した飼養方法の選択（家畜の種類によって異なる）
6）家畜飼養密度：①最大で大家畜換算1.4頭/ha
7）家畜飼料：①購入飼料の割合を、乾物量換算総飼料需要で牛の場合は最大10％、豚の場合は最大15％とすること

なお、ドイツの有機農業基準については、EU有機農業基準やドイツ有機農業協会基準とともに、独自の認証基準をもつ有機栽培連盟（Anbauverbände Ökologischer Landbau）９団体が存在する。いずれもEU有機農業基準を最低基準として、そのうえに各連盟独自の有機認証基準を付加している。2021年末の有機農業経営３万5,718経営のうちの１万6,744経営（46.9％）は、いずれかの有機栽培連盟に参加して団体独自の有機ブランドを消費者にアピールしようという戦略である。最大組織のビオラント（Bioland，1971年設立）は7,784経営、ナトゥアラント（Naturland，1982年設立）4,477経営、デメーテル（Demeter，1924年設立）1,778経営、ビオクライス（Biokreis，1979年設立）1,324経営、ビオパルク（Biopark，1991年設立）514経営、ゲア/エコヘーフェ（Gäa/Ökohöfe，1989年設立で旧東ドイツ中心）432経営、エコヴィン（Ecovin，連邦有機ワイン連盟、1985年設立）241経営、エコヘーフェ連盟（Verband Ökohöfe, 2007年設立で旧東ドイツ中心）127経営、エコラント（Ecoland，1988年設立でバーデン・ヴュルテンベルク州ホーエンローエ地域中心）67経営である。これら

９団体に加盟していない１万8,974経営は、うえにみたドイツ有機農業協会の有機農協基準とEU有機農業基準を遵守するものである。

ドイツにおける有機農産物の普及度合いについては、2021年の消費者世帯の購買割合のデータがある。それによれば、有機産品の割合がもっとも高いのは鶏卵の16.7％であって、以下、飲用乳13.0％、食用油10.3％、生鮮野菜9.7％、ヨーグルト8.8％、生鮮果実7.8％、ジャガイモ6.8％、バター4.8％、凝乳4.5％、パン4.4％、食肉（鶏肉を除く）4.4％、チーズ4.0％、鶏肉3.2％、肉製品・ソーセージ2.3％、乳飲料2.2％、マーガリン1.2％である。

２．デメーテル・バイオダイナミック農法

うえで見たように、EU有機農業基準に加えて、独自の認証基準を持つ有機農業連盟９団体のうち、参加経営数ではトップではないが、その有機認証基準がもっとも厳しいとされるデメーテル協会の認証基準をみておこう。

〈国際デメーテル・バイオダイナミック規格〉

国際デメーテル・バイオダイナミック規格（BIODYNAMIC FEDERATION, Erzeugung, Verarbeitung und Kennzeichnung, Internationale Richtlinien für die Zertifizierung von “Demeter”, “Biodynamisch” und damit in Verbindung stehenden Marken, Stand: Okt. 2022）は、「デメーテル」、「バイオダイナミック」などの表示で流通・販売される農産物の生産方法やその加工方法、さらに認証ラベルにまで適応される「国際バイオダイナ

図　デメーテル認証ラベル

ミック連盟」(Demeter International) によるものである（1999年開始。現行の規格は2022年10月承認)。

ここでは、農業生産についての規格を中心に紹介する。

1）一般原則

バイオダイナミック農法の基礎となる知識体系は、1924年のルドルフ・シュタイナーの「農業講座」と、人智学の精神的文脈に由来する。その目的は、常に農場を統合された単位として構成することによって、生産性と健康をもたらし、生産に必要な投入財を農場自体で生み出す方法で農業を実践することにある。

牛の飼育による堆肥の生産は、現在でも耕種生産の基本である。家畜飼育には飼料が必要であり、とくに牛に必要な粗飼料を輪作に組み込むことが重要である。牛の飼料とバランスの良い堆肥は、土壌を活性化し、農場の持続的な繁栄に大きく貢献する。植物生産は人間と動物の両方の必要性によって決定され、土壌管理に配慮が求められる。その土地に適した管理は、植物と土壌、動物と人間の必要性を認識することにある。

2）エコロジーに対する責任原則

バイオダイナミック農法は気候変動、土壌劣化、汚染、生物多様性の損失など生物界に影響を与えている深刻な複合危機の解決に実際に貢献する可能性をもっている。とくに化石燃料と再生不可能な資源の利用に注意を払うべきである。

デメーテル製品および原材料の航空貨物による輸送は、通常許可されない。

3）社会的責任原則

社会的責任は、人権の尊重と遵守を含む国際デメーテル・バイオダイナミック規格の基本原則のひとつである。社会的権利の欠如、強制労働や不適切な児童労働、標準以下の労働条件や賃金などの社会的不公正を解消し、労働の安全と健全な労働環境を提供しなければならない。

4）農業生産についての基本的要件

国際デメーテル・バイオダイナミック基準は、ポジティブリストとして機能する。記載のないものは国の認証機関ないしバイオダイナミック連盟の書面による特別許可が必要である。各国での適用に際しては、EU有機農業基準、全米有機プログラム（NOP)、日本農林規格（JAS）などの有機農業法の基本認証が前提になる。

(1) 慣行農法農場からの農薬飛散防止

隣接する慣行農法農地からの農薬の飛散を防ぐために、適切な緩衝地帯があること。可能であれば、生け垣を設置する。

(2) 原材料

種子や飼料など植物原材料はバイオダイナミック農法に由来するものでなければならない。バイオダイナミック農法が利用できない場合には、EU有機農業基準、全米有機プログラム（NOP)、日本農林規格（JAS）などの有機農業法の基本認証を受けた生産資材であること。

遺伝子組み換え生物及びその製品は使用できない。

細胞融合技術で生成された品種（細胞質または原形質）は使用できない。オーガニック原料を使用する場合には、細胞融合技術による原料は除外される。

(3) 農業生産

バイオダイナミック農法の主要目的は、まず土壌に生命を吹き込むことにある。これには、適切な耕作、畜産、施肥によって土壌の自然な肥沃度を維持・向上させることが含まれる。施肥の目的は主に腐植を蓄積し、それによって植物の生命を育む土壌の肥沃度を作り出すことであり、植物に直接肥料を与えることではない。バイオダイナミック農法では農場独自の肥料、堆肥、コンポストがもっとも重要なのである。

したがって、**農場に家畜が飼育されていない場合には、デメーテル認証はできない**（強調は引用者による）。反芻動物を農場内に取り込むか、飼料と家畜糞尿を交換する共同経営を優先させなければならない。

家畜飼養量は、耕種農業で経営規模が40ha未満の場合には0.1家畜単位/ha以上、40ha以上の場合には0.2家畜単位/ha以上である。（家畜単位とは、２歳以上の牛１頭が家畜単位１。家畜単位１を超えるのは、繁殖用雄牛が1.2、馬（３歳以上）が1.1。）なお、この基準は2024年度以降に適用される。ただし、市場向け園芸農場や果樹園の場合には、堆肥、緑肥などの使用量が十分であれば、農場内での家畜飼育は義務ではない。

家畜飼料は、農場内での生産による自給が目標である。飼料を追加的に購入しなければならない場合には、①デメーテル認証農場の飼料、②他の有機農業団体加盟の農場やEUの有機農業基準で検査を受けた農場の飼料、③化学肥料や農薬を一切使用していない自然保護区などの管理区域の飼料の順に選択しなければならない。有機飼料の購入量は、１日の摂取量の50％以下でなければならない。慣行栽培飼料の持ち込みは許可されていない。

①施肥

施肥の基本は堆肥と厩肥であり、堆肥は完熟したものである。都市ごみ（生ごみ）の堆肥化についてはEUの許容残留基準値以下のものとする。

使用できない肥料には化学肥料、グアノ、遺伝子組み換え飼料を与えた家畜の糞尿（ただし、１年以上堆肥化させたものについては、適用除外を認証機関が承認できる）、一般廃棄物のコンポスト、下水汚泥などがある。

窒素とリンのバランスを不必要に複雑にしないために、とくに小規模農家ではリンの投入量については市販の有機肥料の割合に注意すること。

〈耕種農業　Arable farming〉

使用するすべての種類の肥料から投入される窒素とリンの総量は、その農場が農場内での飼料生産から、すなわち飼育できる家畜の糞尿から得られるものを超えてはならない。これは農場の総面積について、窒素投入量は112kgN/ha/年、リン投入量は43kg/ha/年を超えないことに相当する。

自らの農場の堆肥（または飼料・堆肥協同組合の堆肥）が窒素需要をカバーするのに十分でない場合には、他からの肥料を購入できる（農場全体の平均で40kgN/ha/年、20kgP/ha/年）が、その場合には以下が考慮されなければならない。

・非有機源から購入した堆肥についての規制

・リサイクル堆肥の制限
・市販の有機肥料は農場の総面積を基準にして、40kgN/ha/年以下であること。市販の有機肥料の窒素量は、農場内の堆肥、購入堆肥、緑肥、リサイクル堆肥の量よりも少ないこと。

〈市場向け園芸農場Market gardens〉(農場規模が40ha未満)

使用するすべての種類の肥料の窒素施用量の合計は、農場の総面積について170kgN/ha/年を超えないこと。農場内で生産された堆肥が窒素需要を満たすのに十分でない場合、他の肥料を購入できる(野菜輪作の平均で80kgN/ha/年、40kgP/ha/年)が、その場合には以下が考慮されなければならない。
・非有機源から購入した堆肥についての規制
・リサイクル堆肥の制限
・市販の有機肥料は農場の総面積を基準にして、80kgN/ha/年以下であること。市販の有機肥料の窒素量は、農場内の堆肥、購入堆肥、緑肥、リサイクル堆肥の量よりも少ないこと。

なお、**温室**については、最大窒素量についての制限はないが、購入肥料については野菜輪作の平均で80kgN/ha/年、40kgP/ha/年が最大施用量である。

〈果樹園Perennials〉

使用するすべての種類の肥料の窒素施用量の合計は、一般的に96kgN/ha/年(ブドウ栽培では50kgN/ha/年)を超えないこと。農場内で生産された堆肥が窒素需要を満たすのに十分でない場合、他の肥料を購入できるが、その場合には以下が考慮されなければならない。
・非有機源から購入した堆肥についての規制

・リサイクル堆肥の制限
・市販の有機肥料は農場の総面積を基準にして、80kgN/ha/年以下であること。市販の有機肥料の窒素量は、農場内の堆肥、購入堆肥、緑肥、リサイクル堆肥の量よりも少ないこと。

②輪作

土壌は年間を通じて植物や自然の覆いがない状態にしてはならない。

圃場におけるすべての種類の輪作は、多様かつ地域の条件に適合したものであって、可能な限り緑肥作物を含むものとする。一年草や二年草を交互に栽培することが求められ、輪作には少なくとも20%の土壌改良植物、できればマメ科の植物を含むこと。

市場向け園芸農場では、輪作作物の約３分の１を緑肥や飼料として栽培すること（この要件は野菜栽培面積が２ha未満の農場には適用されない)。

③水耕栽培など土を使わない栽培方法、コンテナ栽培は禁止されている。

④雑草対策

雑草対策には、輪作、土壌の耕耘方法が重要である。熱を利用した雑草除去よりも、機械除草が望ましい。圃場での土壌の蒸し焼きは禁止されている。

農業由来の有機物（ワラ、木くず、リーフマルチ、羊毛、麻、紙など）によるマルチは認められる。プラスチック製マルチング材は、少なくとも５年間再利用が可能である場合にのみ許可される。

⑤その他

温室暖房については、2028年以降の認証では、化石燃料による暖房が禁止される。

霜害防止（5℃まで）の場合には、エネルギー源を化石資源から得てもよい。

ここに見たデメーテル規格は、現在では国際規格とされ、EU域内の場合にはEU有機農業基準、アメリカの場合には全米有機プログラム（NOP）、日本の場合には日本農林規格（JAS）が前提であることが明記されている。

注目したいのは、「農場に家畜が飼育されていない場合には、デメーテル認証はできない」とする資源の経営内循環を基本にするデメーテル・バイオダイナミック農法だけに、施肥に関する規格において、窒素とリン、とくに窒素について、耕種農業、市場向け園芸、温室、果樹園別に、細かく規制されていることである。これがデメーテル規格の面目躍如というところであろう。

3．マリエンヘーエ農場

バイオダイナミック農法のデメーテル有機農場

ルドルフ・シュタイナーの1924年の農業講座に啓発されて、化学肥料や農薬に依存せず、主に牛糞を原料とする堆肥で土壌に活力を与える、したがって農場は必ず牛など家畜を少頭数飼育して、経営内資源循環を図るという「バイオダイナミック農法」が編み出された。そしてシュタイナー講座の発起人のひとりであったエアハルト・バルチュが、1928年にモデル農場「マリエンヘーエ」をベルリンの東60kmの小村バート・ザーロウに開き、その農場が1930年代、40年代を通じて、

図　紹介する２つの農場

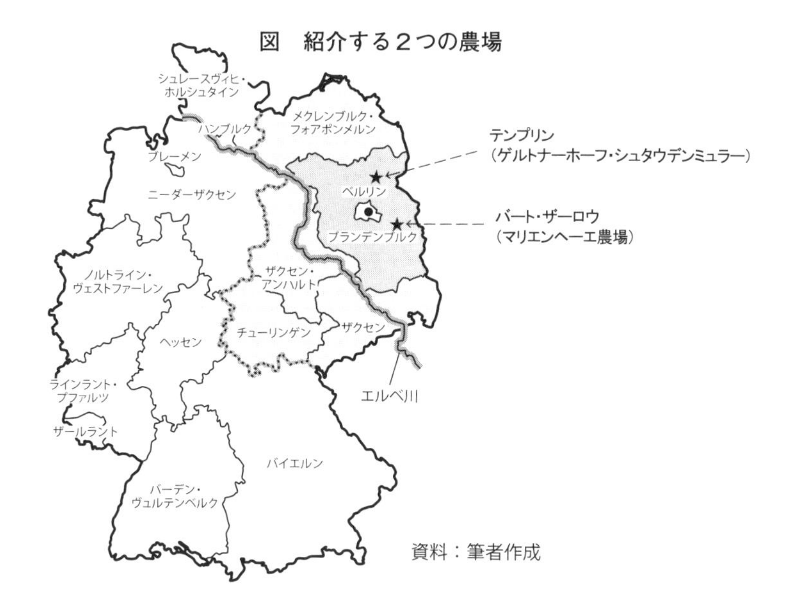

資料：筆者作成

全ドイツのバイオダイナミック農法モデル農場になった。バイオダイナミック農法による農場は豊穣の女神「デメーテル」にちなむ「デメーテル協会」(1929年設立) 傘下の農場とされ、その産品はデメーテルの名で売られるようになった。バルチュ自身は1950年にオーストリア国籍を取得してオーストリアに移住し、共同経営者がマリエンヘーエ農場を継承した。幸いにも農場はオーストリア国籍のままであったので、戦後の旧東ドイツの農地改革（1946～47年）での没収や、農業集団化（1960年）を免れ、1990年のドイツ再統一後も経営が維持されてきた。

有畜複合で経営内資源循環

マリエンヘーエ農場の現在の管理人はフリートヨフ・アルベルトさん（58歳）である。ザクセン州生まれで、子どもの時に休暇でこの農場に来て気に入り、18歳から40年間この農場で働いている。バイオダイナミック農法をその過程で学び、実践しているのだとのことである。

マリエンヘーエ農場が立地するベルリン東部（ブランデンブルク州）は、降水量が年間450〜500ミリと乾燥した大陸気候で、しかも土壌は痩せた砂壌土であるか低湿原草地である。州平均の農地評価指数（100が満点）は30と、ドイツ全土でも最も肥沃度の低いエリアである。マリエンヘーエ農場の農地評価指数の平均は15とさらに低い。元は穀物粗放栽培のユンカー大農場であったという。そうしたいわば何もなかったような土地が、農場の長年の生け垣づくりと松林の混交林化で、今では多様な景観になっている。

農場の土地は1.8haの果樹園（リンゴ、ナシなど）、1.5haの野菜畑（井戸で灌漑）、91haの耕地、50haの草地（うち20ha

マリエンヘーエ農場の農場付属店舗・事務棟全景

マリエンヘーエ農場の草地

フリートヨフ・アルベルトさん

は採草地で年に２回牧草を刈り取る）、これに600㎡の温室、200㎡の促成温床が加わる。約100haの林地がある。

栽培作物は小麦２ha（自家製パン用。有機小麦として販売すれば100kg当たり60ユーロの高値になる）、ライ麦20ha（自家製パン用と飼料用）、えん麦・大麦計４ha（飼料用）、ソバ３ha、ジャガイモ２ha、ニンジン１ha、ルピナス８ha（飼料用）、亜麻３ha（種子から亜麻仁油を搾油、搾りかすは飼料）、間作にマメ科（飼料用、緑肥）が栽培される。飼育家畜は、乳牛（ホルスタインではなくドイツ中央山地原産の乳肉兼用赤まだら牛）32頭、母豚４頭、肥育牛30頭、鶏・ガチョウ・鴨など合計10羽である。これにミツバチ10群が加わる。

経営の中心的課題は、家畜飼料の大半を自給しつつ、多様な作物栽培と特別に処理された家畜厩肥や堆肥による低地力の土

農場での堆肥作り

温床フレーム（オランダ式）

マリエンヘーエ農場の野菜畑

壌の肥沃化にある。ミツバチ群が受粉とハチミツ生産に貢献している。農場施設の周りの草地に植えられた散在果樹が、秋にはいろんな果物を供給してくれる。牛は生育期には毎日、放牧地に出す。冬飼料に追加的に飼料用ニンジンを栽培しており、サイレージ飼料は意識的にやらない。チーズに匂いをつけないためである。豚は繁殖肥育一貫。放牧地の管理には、「動く牧柵」として牧羊犬を飼育し、子犬は販売できる。

飼料用牧草（サイレージ飼料は意識的にやらない）

地場原産の子豚の繁殖

有機加工品が農場収益を生み出す

農場には生産された生乳を100％乳製品に加工するチーズ製造室があり、サイレージ飼料を使っていない原料乳の乳製品（脂肪分２種類の凝乳、多種類の生鮮チーズ、クリーム、クリーム・バター、ヨーグルト）が製造販売される。残渣の乳清（ホエー）は農場の豚の重要な飼料になる。

マリエンヘーエ農場の農場付属店舗

農場で生産・販売している牛乳
（さっぱりとした味わい）

自家製パンも重要な販売品で、原料の一部、とくにスペルト小麦はバイオダイナミック農法で栽培する他の農場から購入している。製粉は、近くの製粉工場に委託している。自然酵母パン（100％全粒パン）が人気である。

畜産物については、自家農場産の豚を農場から25kmのところにある小さな屠場で屠畜し、デメーテル基準で加工した多種類のソーセージと食肉製品を販売している。

さらに、ジャガイモや多種類の野菜、果実、切花、リンゴジュース、亜麻仁油も販売品である。これらは、農場付属店舗（水・金・日の週３日開店）、移動販売車（ベルリン・クロイツベルクで土曜日の午前９時～午後３時開店）で売られ、バイオ店舗やレストランに卸している。アルベルト氏によれば、ベルリンは世界でも最大級の有機産品需要地であることを活用しているのだという。すなわち「デメーテル」有機産品は地産地消と結びついてこそ「活かす」ことができるのである。

農場内の加工場で製造されたチーズの販売

農場は農業生産と加工場で合計15人を雇用している。これに農業研修生４人、夏季の生徒実習生２～３人が加わる。生徒実習生は、日本の中学３年生にあたる９年生が、３月から７月の間に３週間、農業実習に参加するのだとのことであった。

農場の粗収益は農産物で30万ユーロ（１ユーロ130円で3,900万円）、加工品で40万ユーロ（同5,200万円）になる。EUの直接支払いや条件不利地域対策平衡給付金など公的補助金は総額６万ユーロ（同780万円）である。公的補助金が下支えとなって、何とか安定経営が維持されているとみてよかろう。

無農薬・無化学肥料有機でよいか

デメーテル協会の有機農業基準は、EU有機農業基準（無農薬・無化学肥料、非遺伝子組み換え）を超えて、堆肥による土づくりを加えたより厳重な基準である。アルベルトさんに言わせれば、「有機農業が経済的に有利だからと、無農薬・無化学肥料の有機農業を拡大すればよいということではないのではないか。重要なのは経営内での資源循環であって、土地－植物－人間という関係ではなく、土地－植物－家畜－人間という関係の構築であろう。」

これは、低地力地帯に立地するマリエンヘーエ農場ならではの、堆肥による土づくりが農場経営の基本だというデメーテル・バイオダイナミック農法の基本理念であろう。

緊急に食料自給率を引き上げるという課題を抱えるわが国農業にとって、農地のフル活用とともに、耕畜連携の推進、すなわち経営内資源循環はともかく、地域内資源循環の再生は不可欠であろう。この点で、ドイツの有機農業をリードするデメーテル・バイオダイナミック農法には学ぶところが大きいのではなかろうか。

4．ゲルトナーホーフ・シュタウデンミュラー

ゲルトナーホーフ

ゲルトナーホーフ（Gärtnerhof）はドイツにおける移住就農小規模園芸農場である。それは第一次世界大戦と世界大恐慌の後に、ブレーメン北郊の小村ヴォルプスヴェーデ出身の造園家マックス・カール・シュヴァルツ（1895-1963年）が考案した危機に強い食料自給の土地経営「集約型移住就農」をめざしたものであった。シュヴァルツは第二次世界大戦後にそれを再び取り上げ「ゲルトナーホーフ」と名づけて「公益ゲルトナーホーフ協会」(1946年設立）を組織している。ゲルトナーホーフ・モデルの基本理念は２～５haの土地に、園芸農園と小農場を組み合わせることにある。従来の園芸農園とは異なり、農業の部分は生態系循環型経済という意味で、ルドルフ・シュタイナー由来のバイオダイナミック農法にもとづく牛糞を堆肥化した有機質肥料の自給をめざす「農場有機体」を確保することを目的としている。１～２頭の乳牛を飼うには、それなりの草地と十分な割合の穀物（敷料としてワラも使用）が輪作に必要である。「ゲルトナーホーフとは、最も集約的かつ多様な方法で野菜や果実を栽培し、大小の家畜を飼い、そこで働く人々の食料自給を十分に確保し、持続的に高い市場生産を実現する小経営である。」とされた[1)]。

ゲルトナーホーフ・シュタウデンミュラー

第二次世界大戦後の東西ドイツ分裂のなかで、バイオダイナミック農法が生き残ったのは、前節で紹介した旧東ドイツ・ベルリンの東

1）M・ベライテス（村田武・河原林孝由基訳)『ゲルトナーホーフ』筑波書房、2023年、３ページ。

60kmのブランデンブルク州の小村バート・ザーロウのマリエンヘーエ農場であった。このマリエンヘーエ農場に定期的に通い、ゲルトナーホーフ・コンセプトで自分の農場（1967年にドレスデン南西近郊にある両親の2.5haの園芸農園を相続していた）を1970年代に再建したのが、園芸家ファイト・ルートヴィヒ（1934～2021年）であった。

シュタウデンミュラー農場の経営主の妻オルトゥルン・シュタウデンさん（60歳）の義父が、このルートヴィヒにゲルトナーホーフ・コンセプトを学んでいた。また夫のマルティン・ミュラーさん（64歳）は小規模な園芸農家の４代目であった。旧東ドイツでは農業集団化（1960年）に際しても、経営規模がほぼ１ha未満で乳牛を１～２頭飼育する園芸農家は集団化されず、どの村にも１～２戸の園芸農家は存在したのだという。

シュタウデンミュラー夫妻は、

ゲルトナーホーフ・シュタウデンミュラーの農場付属店舗・事務棟全景

ゲルトナーホーフ・シュタウデンミュラーの野菜畑

マルティン・ミュラーさん

1988年——東西ドイツが再統一される1990年直前——に、ベルリン北郊70kmのテンプリンで、築後100年を超える古い家を買い、4,000㎡でバイオダイナミック農法による農業を開始した。こうしてシュタウデンミュラー農場は「30年来のバイオダイナミック農法の歴史を持つ」農場になった。「今、全ドイツにはゲルトナーホーフを名乗る農場が100農場はあるだろうが、その大半は私たちの成功を見てのものだろう」というのが夫妻の誇りである。

以下にみるように、ゲルトナーホーフ・シュタウデンミュラーは、生産者と消費者が協同して担う農業と、多彩かつ持続的な農業文化の発展をめざしている。シュタウデンミュラー夫妻の主目標は、「連帯は協同行動から生まれ、与えることと受け取ることの同等のなかにある」という。

農場での堆肥作り（ゲルトナーホーフ・シュタウデンミュラーのホームページから引用）

土作りが基本（ミミズの多さが土壌の豊かさを反映）

農場規模34haでバイオダイナミック農法

現在の農場規模は34haである。2.5haで野菜、0.5haでジャガイモが栽培され、10haで小麦・ライ麦に加えて、間作物の飼料作物（ムラサキウマゴヤシ、ルピナスなど）が栽培されている。13haの牧草地がこれに加わる。自家製パン用原料となる小麦はわずか500㎡の栽培面積で、残りのライ麦（これも自家製パン用）が9.5haの栽培面積を占める[2)]。いずれもデメーテル種子（播種前に30分間100℃、または１時間60℃で温める）を播種しており、収量は250～350kg/haと低収量であるが、タンパク質含有量が17～18％と高品質である。

乳牛の飼育頭数は11頭で、飲用乳の自給率は100％である。これに加えて堆肥用の厩肥の確保のために羊10～12頭、馬４頭、鶏数十羽を飼育している。家畜には濃厚飼料は与えない。

その経営方式は、小規模農場で有機体（Organismus）を構築すること、すなわち小頭数の家畜の厩肥で持続的な土地肥沃度と野菜作をめざすことにある。栽培労働の中心は土壌の肥沃度の維持にある。土壌の生態を壊さないように天地返しはせず、不耕起栽培を基本としている。施肥は農場の家畜の完熟厩肥や堆肥、それに多様な植物の緑肥が加わる。

馬耕風景（ゲルトナーホーフ・シュタウデンミュラーのホームページから引用）

２）ちなみに、ドイツでのライ麦栽培面積は大きく減少しているが、2021年の全ドイツの栽培面積60万haのうちの16万ha（27％）を、このブランデンブルク州が占める。

耕耘が必要な耕地では、軽量機械によるか、40～50％は２頭の牡馬と２頭の重量のある強壮な雌馬による。したがって農場の労働スタイルは、大圃場での専門的かつ単一作業への従事とは異なって、きわめて多様な作業に従事するスタイルになる。

野菜種子はバイオダイナミック方式の種子で、在来種を基本にドイツ国内ないし近隣諸国での品種改良品種であって、育苗は自前で行う。したがって、この農場の野菜は、「他のバイオ農法や遺伝子組み換え農作物と比較して、私たちの野菜には特別の品質がある」という。

花き・野花、すなわちヒマワリ、キンセンカ、ナデシコ、多様な宿根草も大切な産品である。

ザウアークラウト向けのキャベツの栽培

乳牛（ジャージー種）の飼養

協同農業――「ドイツ版連帯農業」

シュタウデンミュラー農場を特徴づけるのは、バイオダイナミック農法による農業経営に加えて、「いっしょに農業を」（Gemeinsam Landwirtschaften, GeLa）を標榜して消費者との連帯をめざして、農場産品の販売をアメリカ生まれのCSA（Community Supported

Agriculture）に転換したことである。ドイツでは1980年代の半ばに多くのCSA農場が生まれている。

シュタウデンミュラー農場のCSA

農場は、2～4人の大人で構成される家族150戸に週1回野菜ボックスを届けるために、2haの野菜を栽培している。週1ボックスの野菜は、月当たり最低85ユーロ（1ユーロ130円で1万1,050円）になる。契約期間は3月から翌年2月までで、年末と年始の2週間は供給が停止され、1月と2月は隔週で供給される。

ゲルトナーホーフ・シュタウデンミュラーの農場付属店舗

供給される野菜ボックスを例示すると以下のようになる。ただし、天候による収量変化にともなって、1ボックス内の野菜量は変化することがある。

〈6月中旬の野菜ボックス〉

・ダイオウ750g

・ブロッコリー1/4個

・早取りタマネギ2個

・サラダ菜1個

・イチゴ1パック

・ジャガイモ1/2kg

・グリーンアスパラガス350g

・ルッコラ1/2個

・コールラビ1/2個

CSA向けの野菜ボックス

〈1月末〉

・ニンジン１kg
・リーキ150g
・セロリ1/2個
・キャベツ1/2個
・ザウアークラウト（発酵塩漬けキャベツ）350g
・ダイコン100g
・根パセリ１個
・コールラビ1/2個
・ジャガイモ１kg
・ジュース１瓶

CSA向けの出荷作業風景

（なお、野菜ボックスは、野菜以外に、葉や茎（乾燥したものも含む）やジュース（赤カブ、リンゴ、ニンジン）を含む。食肉の供給が希望の場合は、年に１ないし２回の屠畜に際して供給が可能である。）

協同農業の取り決めに関する宣言

前文

ゲルトナーホーフ・シュタウデンミュラーとの「協同農業」(GeLa)とは、消費者と生産者が共同で支え、多様で持続可能な農業文化の発展をめざす農業のあり方をいう。われわれの指針は、「協同性とは、いっしょに何かをすること、ギブアンドテイクのバランスをとることで生まれる」ということである。

この農場は1988年から存在しており、２代目にあたる小規模な家族経営農場である。野菜栽培に加え、馬、牛、羊を飼い、その厩肥で土壌を肥沃にする。土壌の肥沃度を持続させることがわれわれの農業の基本である。家族、ビジネス、自己啓発をいかに両立させるかを実践する。

1）GeLaシュタウデンミュラー

「協同農業シュタウデンミュラー」とは、テンプリン近郊のフィエトマンドルフに所在するゲルトナーホーフ・シュタウデンミュラーと会員間の特別な協力形態のことをいう。本契約の署名者は、農場およびその従業員とともに、協同農場シュタウデンミュラー大家族を形成する。

2）課題と目標

a）ゲルトナーホーフ・シュタウデンミュラーは、ルドルフ・シュタイナーの影響を受けたバイオダイナミック農法を基本する経営を行っている。現在、農用地は24haで、そのうち10haが耕地である。野菜２ha、穀物２ha、ジャガイモ0.5ha、飼料と緑肥５haの栽培になっている。

土壌を肥沃にし、植物と動物の世話をすることで、人間の生活の基盤となる有機体を作り出そうとしている。

b）現在、野菜ボックス約150個分の作物を届けることができる。野菜、ジャガイモ、ハーブのほか、果実、肉、ジュース、花などもある。野菜ボックス１個は大人の家族２～４人分に相当する。

c）野菜ボックスを受け取る人々はすべて、「協同農業シュタウデンミュラーの大家族共同体」を形成し、農場の農業活動の年間予算を彼らの会費でまかなっている。彼らは、ハイブリッド種の使用や肥料・合成農薬の購入をやめ、馬を使い、バイオダイナミック製剤を使い、多種類の野菜を栽培することにともなう生産コストの上昇を受け入れている。

d）共通の関心事は、持続可能な農業と、相互信頼に基づく持続可能な農業文化の発展にある。農場がめざしているのは、内容豊かな作物をしっかり供給することにある。ただし、霜や害虫などによる不作の場合には、野菜ボックスの内容と量に影響するが、会員には会費の返却や契約停止の権利はない。この点についての、会員の要望や提案を農場は期待する。

3）実施方法

a）野菜栽培、家畜飼育、飼料の獲得、および関連する活動の1事業年度の費用を、会員が負担する。CSA以外の販売収入（学校給食への供給、農場店舗販売）は年間予算に含まれる。また、苗販売、農家民宿、学校の授業支援などの収入も年間予算に含まれる。

b）野菜ボックスの配送先はテンプリン/フィエトマン地区（火曜日）（この地区の会員は農場に来て野菜ボックスを受け取ってもよい）、エバースヴァルデ地区（農場の所在するテンプリンの南東の町で、ベルリンから北東へ30kmほど）へは火曜日（例外的にイチゴの季節は月曜日）、ベルリンへは木曜日に届けられる。ベルリンの配送デポジットは、シャルロッテンブルク地区（アイヒカンプ団地とヤスミン通り）、ダーレム地区（ダーレムドルフ）、クロイツベルク地区（アルト・トレプトウ）、ノイケルン地区（ロイターキーツ）、プレンツラウアーベルク地区（アムスヴァルダープラッツ）、ヴェディング地区（ゲリヒツシュトラーセ）、ヴァイセンゼー地区（コンポニステンフィアテル）の7か所である。

4）会計

経済年度20 ／ 年度について、会費は1野菜ボックス当たり月額85ユーロ（野菜のみ）を最低料金として設定している。より高い料金を自主的に支払うことも可能である。というのは、そうした個人負担の追加によって余裕が生まれれば、経済的に弱い会員がより低い金額を支払うことができるからである。

会費は、月初めに月割りで当該配布デポジットの担当者に支払うものとする。担当者は、月の半ばまでに農場に振り込むものとする。

5）入退会・配送・休暇

a）農場の供給量とGeLa大家族に空き容量があれば、月初めに1か月単位での試験的入会が可能である。試用月は追加費用が発生するため、会費は100ユーロとなる。入会は、常に暦月の最初の納品日に行うものとする。入会登録は、各配送デポジットの担当者を通じて行われる。

b）試用期間終了後の退会は、販売年度終了時（エバースヴァルデでは学期終了時）のみ可能である。受け取る野菜ボックスは、同じ条件でいつでも他の人に譲渡することができ、配送デポジット責任者に報告すること。*例外もあります。理由をお聞かせください*（斜体は原文どおり）。

c）野菜ボックスは毎週配送される。クリスマスと聖エピファニー祭（東方の三博士来訪記念日）（12月24日～1月6日）の間には冬休みとする。

d）野菜ボックスの受け取りの中断はできない。不在の場合は、隣人や友人に提供する。

6）コラボレーション

ゲルトナーホーフ・シュタウデンミューラーでは、地球に目を向け、持続可能なバイオダイナミック農法の形成に積極的に貢献する機会を提供する。

a）協力の形態と期間

労働と農場のコミュニティを本当に知るためには、定期的に手伝うか、農場に住みながら１～３週間続けて手伝うのが理にかなっている。これはいつでも可能である。

下記の時期がとくに期待される（天候により変更になる場合がある）。

・５月25日～６月１日：除草週間と週末
・10月26日～11月２日：収穫週間と週末

それ以外の時期でも、電話やメールで空きスペースや作業が残されているかどうかを問い合わせることが可能である。寝場所はほぼ確保されている。

また、農場は必要に応じて、急遽ヘルパーを要請することができる。

b）誰が協力できるか？

GeLa会員が原則として協力する。会員でないボランティアも大歓迎である。子どもたちも大歓迎である

c）どんな労働か？

協同労働は、農場で発生するすべての活動領域で行うことがでる。具体的には、農場の内庭や圃場、温室での作業、野菜収穫やボックス詰め、家畜の世話、建築作業、管理業務などを手伝い、さらにGeLa

のワーキンググループにも参加することになる。

d）持参すべきものは？

適切な服装と丈夫な靴は、各自の責任で用意する。食事は、みんなで協力してつくり、いっしょに食べる。

７）会員総会——全員参加での開催

すべてのグループの会員総会は２月に行われる（エバースヴァルデは新学期の始めに）。会員総会は、お互いを知り合い、出会い、交流、反省、展望、場合によっては財務や組織についてなどが議論される。

第３章
連邦政府の「畜産基準の表示義務法」案

はじめに

ドイツ連邦政府食料農業消費者保護省は、旧メルケル政権の2020年以来、環境危機への畜産の対応のあり方、すなわち、将来性のある畜産をめざして、温室効果ガスの排出規制強化および動物福祉保護水準の引き上げをめざす「畜産基準の表示義務」の導入を法制化しようとしている。

以下に紹介するのは、2022年６月７日に発表された「将来性のある畜産」(Zukunftsfeste Tierhaltung) と題し、副題に「畜産の国家的表示義務導入のためのポイント」(Eckpunkte zur Einführung einer verpflichtenden staatlichen Tierhaltungskennzeichnung Stand: 07. 06. 2022) とある連邦食料農業消費者保護省の法案作成のための文書である。以下では連邦食料農業消費者保護省 (BMEL) を農業省と略称する。

将来性のある畜産
—畜産の国家的表示義務導入のためのキーポイント—

連邦政府は、ドイツ農業の畜産を将来性のあるものにするという目標を掲げている。将来性のある畜産は、動物福祉と気候保護の側面をより考慮し、消費者に透明性を生み出し、農業経営に長期的な経済的見通しを提供しなければならない。

連邦農業省にとって、将来を見据えた畜産業のための全体的なプロジェクトは、①拘束力のある畜産表示、②農場の長期的展望を含む厩舎の改築のための資金構想、③動物保護法におけるより良い規制、④建築・免許法への適合という、４つの中心要素から構成されている。

その第一歩として、農業省はここに畜産物の表示義務のためのキーポイントを提示する。

社会の農業、とくに畜産に対する関心は高い。ドイツの消費者は、小売店やスーパーマーケットで購入する食肉、牛乳、チーズ、バター、ヨーグルトを生み出す豚、牛、鶏がどのように生きてきたかを知ろうとしている。そのために消費者は、動物飼育の状態を示す信頼できる情報を提供する拘束力のある食品表示を期待している。同時に、多くの農業者が、飼育状況の可視化が重要だと思っている。

国家による畜産物表示の義務化により、長年にわたって遅れていた透明性が生みだされる。現在、ドイツにはさまざまな民間の動物福祉ラベルが存在するが、飼育形態に関する統一された信頼性の高い情報を表示する法的義務はまだ存在しない。連邦政府による畜産物表示の義務化により、消費者は十分な情報を得たうえで購入するかどうかを決め、異なった家畜飼育のやり方を意識的に選択することができるようになる。農業者にとっては、表示義務化によって、動物福祉を向上させるための努力が認められるという事実を確認できることになる。国家レベルでの拘束力のある畜産物表示により、私たちはEUの統一市場内でリードできる。この法案は、EU委員会の承認を得なければならない。他のEU諸国からの輸入品は差別されない。

畜産物表示法のキーポイント

畜産物表示法は、動物由来の食品に、その食品を生み出した動物の飼育形態を表示する法的義務を定める。また、さまざまなレベルの流通販売市場への参加者と食品を市場に出荷する農業者の義務も規定される。

表示が義務づけられているすべての動物由来食品には、最終消費者に販売される際に、その動物の飼育方法に関する情報が表示されなければならない。ラベルには、動物がどのような飼育環境下におかれていたかが記載される。

本質的には、

○動物がドイツで飼育され、食品がドイツ国内の最終消費者に販売される場合、食品にはラベル表示がなされる。小売、スーパーマーケット、オンライン取引、週市など、消費者に向けた動物由来食品のあらゆる流通形態が対象となる。

○表示の決め手は、動物の生産段階（食肉の場合は肥育段階）における飼育方法である。

以下の５タイプの飼育形態が表示される。

○畜舎飼育

○畜舎＋運動場飼育

○開放型畜舎飼育

○運動場＋放牧

○有機農法

表示のデザイン

○農法に関する表示は、食品にはっきりと見えるように、読みやすいように貼付すること。ラベリングのデザイン仕様は、法案といっしょに提示される。

○未包装の食品の場合、消費者が購入前にわかるように、食品の近くに飼育形態に関する表示がなされる。

○オンライン取引などの遠隔販売では、販売契約締結前に飼育形態表示がなされなければならない。

表示の実施

○フードチェーンにおいて、飼育方法に関する情報はありのままに伝えられ、トレーサビリティが確保されていなければならない。
○農業者は、自分の経営での動物飼育方式を当局に提示する。
○１経営内に、異なった飼育形態の複数の飼育施設が存在することもありうる。
○飼育方法に変更があった場合には、所轄官庁への速やかな報告が求められる。
○農業経営は、報告されている飼育方法および飼育動物に関する記録を保持するものとする。

当局による管理

○所轄官庁は、報告された飼育施設に対して、その飼育施設種類を示す識別番号を設定し、経営に通知するものとする。
○所轄官庁は、経営の飼育施設の保有台帳を整備する。
○畜産物表示法の規定に違反した場合は、行政処分として罰金刑が科せられる。

ファーストステップ：豚肉の表示

○飼育方法表示の義務化は、生鮮豚肉に始まって、冷蔵ないし冷凍豚肉、包装品ないし未包装品で、また食料品店、生鮮食肉専門店、オンライン小売店、その他の店舗で、順次導入される。
○とくにレストランやケータリングないし加工品などの販売チャネルの場合には、特別の飼育表示方法が、ファーストステップの一部としてEU委員会の原則承認を得て、立法化の過程で提示される。

○牛、乳牛、鶏などの他の動物種についても同様である。これらも徐々に、国家による表示義務化に含まれるようになる予定である。農業省は、立法審議の開始時に、そのタイムテーブルを提示する予定である。

養豚の飼育方法の特徴

○畜舎飼育――肥育期間中の飼育は、法律で定められた最低限必要な条件を満たしていること。

○畜舎＋運動場飼育――豚は法定最低基準に比べて20％以上のスペースが確保される。畜舎には、仕切り壁、段差、温度や明るさなどの制限が課される。

○開放型畜舎飼育――豚は畜舎内で外気に常時触れられる。それには、畜舎の少なくとも一面を開放し、動物が太陽や風、雨などの環境の変化を感じ取れるようにすることが必要である。

さらに法律で定められた最低基準と比較して、少なくとも46％以上のスペースが自由に使えるようになっていることが求められる。

○運動場＋放牧飼育――豚は丸１日ないし最低８時間は放牧されるか、この間は畜舎内ではなく、屋外で飼育される。さらに、法律で定められた最低基準と比較して、少なくとも86％以上のスペースを自由に使えるようにする。

○有機農法――EU有機農業基準（EU 2018/848）の要求事項に基づき生産された食品である。動物にとっては、他の飼育形態に比べて、屋外面積がさらに広くなり、畜舎スペースもさらに広がることになる。

その他の手順

生鮮豚肉の表示義務化に関する法案は、現在、連邦政府内で調整中で、その後、各州ならびに諸団体に回付されコメントが求められる。その後、連邦内閣で決定をみた法案がEUに提出される。今秋にはドイツ連邦参議院で法案審議が始まり、年末には連邦議会での初審議が予定されている。

第４章　畜産の将来をめぐる議論への中小農民団体（AbL）の『意見書』

ここに紹介するのは、「農民が主体の農業のための行動連盟」（Arbeitsgemeinschaft bäuerliche Landwirtschaft, e.V., AbL）が2022年10月に発表した、環境危機に対応する畜産の将来に対する議論への『意見書』(Positionspapier, Tierhaltung & viele Höfe für eine zukunftsfähige, klimagerechte Landwirtschaft, Beitrag zur Diskussion um die Zukunft der Tierhaltung, Stand Oktober 2022）である。

第３章で紹介した連邦政府の、将来性のある畜産をめざす温室効果ガスの排出規制強化および動物福祉保護水準の引き上げの「畜産基準の表示義務」の導入に基本的に賛成しつつ、中小農民経営の立場からの畜産のあり方に積極的な意見が表明されている。

「農民が主体の農業のための行動連盟」（AbL）は、1980年に設立された公益団体で、ドイツの農業者運動の主流である「ドイツ農業者同盟」（DBV、大農業経営や食品生産流通企業の利害を代表し、保守党のキリスト教民主同盟の支持団体であることを明確にしている）に対する反対派であることを明確にし、中小農民と消費者が参加する団体として政党からは自立している。月刊誌『自立した農民の声』（“Das Magazin Unabhängige Bauernstimme”）を刊行している。1993年からは、『農業同盟』（AgrarBündnis、DBVとは一線を画するAbLを含む農業団体の連携組織）のイニシアで発刊された『批判的農業報告』（Der kritische Agrarbericht、これは連邦政府の刊行する年報である『農業報告』（Der Agrarbericht）に対抗する年報）の出版をAbLの出版局が引き受けている。AbLは国際農民運動組織であるビア・カンペシーナに1986年に参加しており、欧州の18か国の27農民団体とともに、欧州農民反対派「ビア・カンペシーナ欧州調整協会」の共同設立者でもある。本部は、ドイツ西北部のノルトライン・ヴェストファーレン州（州都はケルン）のほぼ中央にある小都市ハム（Hamm）に置かれている。全国に州別ないし２～３州合同で、９支部がある。

図　AbLラベル

連邦政府の気候変動対策等に対するAbLの2019年の意見については、村田武『家族農業は「合理的農業」の担い手たりうるか』（筑波書房、2020年７月刊）の第Ⅰ章「環境先進国ドイツの『気候変動対策』」で紹介している。

ドイツでは、ほぼ２時間毎に牛や豚を飼う農場が放棄されている——2022年に養豚経営は1,900戸、酪農経営は2,200戸が減少

持続可能で気候にやさしい農業のためには畜産と多くの農場が必要である。

農民、社会、政治、科学は、畜産が変革を迫られていることに同意している。動物福祉と気候保護における変化に対応するには、農業経営に展望を与え、資金を供与し、計画を確実なものにすることが必要である。ドイツでは、気候保護の観点からして将来的にどれだけの動物を飼育できるかが大きな議論になっている。そこでは家畜数の半減だけに議論が集中しがちである。

AbLも、家畜数を減らさなければならないと考えているが、単に削減数に固執するのは短絡的すぎる。一方では、これが社会正義や畜産農家の悩みを無視したものであることが多いからである。農場の死滅により、ドイツの家畜数はすでに大量に減少している。他方では、気

候への影響が畜産の種類によって異なることが十分には考慮されていない。たとえば乳牛は、たとえ少数でも放牧か畜舎飼育かが無関係ではない。資源保護のためには、大型厩舎を新設するか、既存の厩舎を改造するかはそれほど問題ではない。国内のタンパク作物や副産物が飼料ベースなのか、トウモロコシや輸入大豆なのか。できるかぎりその土地に結びついた畜産経営内で生み出された肥料（堆肥）を使うか、エネルギー集約型の鉱物肥料を主に使うか。国内で家畜数を減らしても、同時に安価で持続不可能な方法で生産された食肉を輸入するかどうか。したがって畜産のさまざまな側面を考慮した非常に多様な見方が求められるのである。

地球温暖化防止には、温室効果ガスの排出を大幅に削減し、ゼロに近づけることが必要である。社会全体がこの巨大な課題に直面している。農業もそれに貢献しなければならない。AbLは、これを認識しており、また、経済的な観点や多くの多様な畜産経営の保全と合わせて、これに取り組んでいる。AbLは、気候にやさしい持続可能な畜産のための政治的解決を要求し、そのための具体的な政治的要求をこの意見書の末尾にまとめている。

AbLにとって、畜産における目標にかなった気候戦略は、以下のとおりである。

○動物性食品の消費を「より少なく、より良い」方向に向けて削減する。
○畜産を地域に根づかせ、地域的な栄養循環を強化する。
○農場内で生み出される肥料（堆肥）を全面的に有効利用し、鉱物性肥料を削減する。
○放牧と牧草をベースにし、濃厚飼料を減らした飼料で反芻動物を強化する。
○大豆輸入に依存せず、国内のタンパク質生産を強化する。

○畜舎を改造して動物福祉を充実させ、アンモニアの排出を削減する。

畜産と気候の問題については、すでに数多くの研究が行われている。この意見書では、AbLは畜産の将来についての議論に貢献することをめざしている。その際、AbL方式に基づくデータの収集・計算も行われたいとする科学者グループへの要請にも応えたいと考えている。

1．地域農業構造にとっての農民的農業

1）地域農業構造と畜産

畜産は農民経営の所得に重要な貢献をしており、平均して経営の総収益（販売額）の約60％を占めている。酪農経営では、長年の赤字続きが最近になってようやくコスト補てんができるようになった。ただし、中長期的にこの状態を維持できるような政治的な枠組みはない。とくに不安なのは、有機酪農の生乳の価格が慣行酪農のそれよりも低いケースがあることだ。一方、養豚経営は危機的な状況が続いている。コストは高いままで、生産者は豚や子豚を出荷するたびに損失を被っている。

かくして畜産経営は何年も前からどんどん経営を放棄している。2012年以降、農場数は実に40％（１万2,400経営）減少し、豚の数は約20％少なくなっている。これは、飼育頭数よりも経営数の減少が早いことを示している。それにともなって大規模な農場に豚が集中するようになっている。何と、最新の2021年には豚の数は前年比で９％も減少している。酪農では、最近の10年間で乳牛頭数の減少は５％であったが、酪農経営数は40％もの減少をみた。こうしてドイツではすでに飼育家畜数は大きく減少している。しかし、畜産農場の放棄や家畜数の減少が、自動的に動物福祉や気候にやさしい農業生産方法につながっているわけではない。

農場の消滅は、経営の放棄による直接的な経済的影響だけでなく、地域の経済発展にも影響を与える。たとえば、屠場は大きな経済的圧力を受けており、閉鎖も相次いでいる。屠場が閉鎖されることは、屠場への輸送に時間がかかることも意味する。したがって、畜産の構造的断絶は、上流および下流部門（畜舎建設、家畜飼料、機械販売、加工など）にも地域経済的影響を及ぼすことになる。

さらなる影響が国際貿易に及んでいる。肥育用の子豚の一部は、主にデンマークやオランダから輸入されている。これらの国の去勢方法基準はドイツより低い場合もある。スペインからは、一部は低い基準で生産された生鮮・加工肉の輸入圧力が高まっている。連立政権政府はまた、EUカナダ自由貿易協定（CETA）を承認しそうである。低水準かつ極端に安い価格でカナダ産食肉がEUに輸入されることにもなる。国内での安全基準の強化にともなって。畜産が海外にシフトする危険性が強まる。それは輸入を増やすことになれば、グローバルにみれば気候にとってはマイナスである。すなわち、いわゆる「漏れ効果」を避けるためには､輸出だけでなく輸入の量と質も議論の中でしっかり考慮され、国境でのたとえば課徴金や関税など貿易政策が考慮されなければならない。

バランスの取れた市場環境は、農民が経営のコストを十分に補てんする価格を得るための前提条件である。同様に、量ではなく、より高価格の品質を前提とした持続可能な消費が重要なのである。動物性食品の消費量はすでに減少しており、今後さらに減少していくと思われる。１人当たりの食肉総消費量は2016年から2021年にかけて９％減少している。豚肉の１人当たりの消費量は13％と大きく減少している。それに対して鶏肉は消費量が増加している。同時に、現在、ドイツでは平均20％近い食品価格の上昇が起こっている。このような状況は、とくにエネルギー危機と一般的なインフレと相まって、多くの家庭にとっては存続の危機を意味している。良質な畜産物の消費を求めるには、必然的に社会扶助率の向上など適切な社会的措置が必要であることはいうまでもない。

2）地域と環境にやさしい栄養循環のための畜産業

農場の肥料（堆肥）は貴重である。生態学的には地域的な栄養供給と施肥に貢献し、土壌肥沃度の維持・促進にも寄与している。現在、ドイツの年間施肥量の約半分は、農場内の堆肥でまかなわれている。長い間、家畜糞尿はどちらかというと実際の価値とは異なる「余剰生産物」とされてきた。しかし現在では、鉱物性肥料が非常に高価格であるために、再び価値を高めている。

家畜を飼育しない耕種経営で見られるような鉱物性肥料だけというのは、さまざまな理由から問題である。世界のエネルギー需要の１～３％を占める鉱物性肥料の生産は、製造工業界で最も大きなエネルギー消費源の一つである。１トンの肥料を生産するごとに、気候に悪影響を与える二酸化炭素が２トン発生する。現在のエネルギー危機では、この製造工業分野でも、ガスに依存していることが顕在化しつつある。また、窒素肥料にともなう土壌からの亜酸化窒素（N_2O）の排出も気候に有害である。

同時に、地域差は大きいものの窒素過剰の問題がある。それが地下水を硝酸塩で汚染し、大気への排出も発生させる。2020年の窒素過剰の全国平均は農業用地１ha当たり約80kgに達しており、ドイツの持続可能性戦略によれば、今後数年で１ha当たり70kgまで減少させなければならない。さらに、アンモニア排出量を削減するためのNEC指令（EUの大気浄化に関する指令）の要件も満たす必要がある。窒素過剰に関連して大きな問題となるのが、警戒エリアとその指定である。AbLでは、すでにその対応策を提案している。その中核となるのが、改善されたデータベースでの全農場に拘束力のある資源フローバランスを導入することである。窒素肥料を法定基準以上に減らしている農場に対しては、EU共通農業政策（CAP）による助成があってしかるべきである。

集約的な畜産の集中が、とくにドイツの北西部などでは商業港に近いことなどから、政治的に期待され推進された経緯がある。そこでは経営は専門化を迫られたのであって、それがまた全国的に家畜糞尿（堆肥）の分布の非常は偏りを生んだのである。たとえば全国9,112自治体のうち，自治体レベルで1ha当たり2頭以上の家畜が飼育されているのは約290自治体にすぎないが、その大半がニーダーザクセン州北西部やバイエルン州の一部などの集約的な地域に集中している。このような地域では、全体として家畜数の削減が適切であり、資源フローバランスもその手段になりえる。ただし、それは決して当該地域の農場の社会的、経済的状況を無視してはならない。AbLの見解では、地域の農業構造が農民に担われ、その地域にふさわしい農地との結合を強くする方向こそがポイントとなる。ドイツを横断するような「糞尿輸送」（Gülle-Tourismus）は持続可能ではなく、距離的に明確に制限されるものである。CAPもまた、地域の農地と結合した畜産を推奨しており、それは利用するに値する。

同時に、ドイツの大部分では家畜数が少なすぎ、地域内に限定した栄養循環が困難なところが全国に広く存在する。したがって、家畜をその密集地域からより広い地域に再分配することは理にかなっているといえる。畜産が歴史的に形成されてきた構造、畜産の労働負担の高さ、畜産経営の現在の経済状況などからすると、これは大きな課題であるにちがいない。

気候に優しく、持続可能な畜産を一般化させるには、飼育家畜数に上限を設定することも将来的には必要である。連邦環境汚染防止法（das Bundesimmissionsschutzgesetz）が税法上で営業可能とみなす上限、すなわち肥育豚1,500頭、母豚560頭、牛600頭、採卵鶏１万5,000羽、ブロイラー３万羽という制限が適切であるとAbLも考える。ちなみにAbLもその策定に協力した「種に適した環境に優しい畜産をめざすNEULAND（ノイラント）プログラム」[1]では、経済的な観点と相まって、上限がさらに下げられている。それでは１農場当たりの飼育上限は、肥育豚950頭、母豚150頭、乳牛350頭、肉牛350頭、採卵鶏9,000羽、ブロイラー１万4,400羽である。

３）利点を組み合わせる――動物福祉と気候保護は一体で

畜産の転換は、気候保護要件に加えて動物福祉にも関わっている。したがって両方の目標に有利な飼育システムがとくに価値のあるものになる。相乗効果を発揮できるのである。そうしたシステムがとくに推進されるべきである。

計算結果によれば、適切な管理を行う運動場や開放豚舎でアンモニアの排出量をかなり削減できることがわかっている。とくに運動場に屋根をつけ、豚糞と尿を分けてそれぞれの場所に保管し、定期的な運動場の清掃が効果的であるとされている。同時に、運動場は動物福祉に重要な利点をもたらし、NEULANDのような多くの品質プログラムに不可欠な要素となっている。

１）NEULAND（ノイラント）は、1988年設立の、飼育から屠畜、食肉販売にいたる動物福祉の推進、環境にやさしい中小農民の畜産保護をめざす社団法人である（本部はベルリン）。https://www.neuland-fleisch.de/

放牧は社会的に望まれる牛の飼育形態である。放牧地はもっとも安価に飼料を生産でき、動物が自然に行動できる空間を提供し、多様な文化的景観の保全に貢献するとともに、生物多様性も促進する。永年草地や放牧地は世界的に見ても大規模な炭素貯蔵庫を形成している。永年草地では土壌１kg当たり最大150gの有機炭素が表土に含まれていることがある。これは耕作土壌の含有量（土壌１kg当たり7.5～20g）の何倍もある。

さらに、放牧によってアンモニアの排出量も削減できる。アンモニアはとくにスラリータンクなどで糞と尿が混ざっている場合に発生する。一方、放牧地では尿がそのまま土中にしみ込み、糞とは混ざらない。糞は今度は放牧地に生息する昆虫や鳥類の重要な餌となり、生物多様性の保全に貢献する。ところが放牧は、近年の深刻な干ばつでむずかしくなっており、水管理の改善による干ばつ対策が求められている。加えて放牧はオオカミの襲撃に脅かされており、これまたしっかりしたオオカミ管理政策が求められている。オオカミの保護にかかる費用を農民に負担させたままでは問題であって、オオカミ害の補償も必要になっている。

放牧地の確保は農場規模が大きくなるにつれてむずかしくなる。それがドイツでは放牧が、ひいては気候保護への可能性が低下し続けている理由である。したがって、持続可能な乳牛飼育のために、AbLは「農業将来委員会」の以下のような勧告を明確に支持する。すなわち「気候目標に適応した牛の飼育規模と、草地を基本にした牛飼育に集中することは、消費にも適応することになる。同時に、牛１頭当たりの付加価値を高め、少なくとも農業所得を安定させなければならない」。[2] そのためには、放牧をしっかり推進する必要がある。CAPに放牧地プレミアムを早急に導入させることが求められる。同様に、経営のより高いパフォーマンスに対する適切な支払いができるような市場政策が必要である。

2.食料主権のための気候正義

1）気候保護は社会的に正義である

農民は気候保護に貢献する責任があることを自覚している。近年の干ばつ――そして今年の干ばつ――は、気候危機の農業への影響が世界的に、そしてここドイツでも及んでいることをより明確に示している。

気候保護法では、ドイツは徐々に温室効果ガスの排出量を減らし、2045年までに気候変動に左右されない国をめざすとされている。2021年のドイツの総排出量は約7億6,200万トン（CO_2換算）で、それを2045年までに3,750万トンに削減する必要がある。この3,750万トンという目標は、現在の畜産だけの排出量にほぼ匹敵する。

農業からの温室効果ガスの排出は避けがたい。反芻動物の消化や土壌呼吸などの生態学的プロセスによって、農業では排出が避けられないのである。ところが農業は2045年までに、2020年対比でおそらく約半分の排出量の削減を求められている。通常その主な手段としては、泥炭地を元に戻し、過剰窒素を削減し、家畜数を削減することが挙げ

2）「農業将来委員会」は、2020年7月8日に、当時のメルケル政権が閣議決定して設置した委員会である。構成員は、「ドイツ農業者同盟」(DBV)だけでなく、本意見書のAbL、「ドイツ酪農家全国同盟」(BDM)、「ドイツ農業青年同盟」(BDL)、「ドイツ農業女性同盟」(DLV）などの農業団体関係者10名のほか、消費者、環境・動物保護団体、学識経験者など幅広い合計33名で構成され、うち女性が3分の1を占めた。2021年6月に発表された全会一致の採択文書がメルケル首相に答申されている。答申文書「将来のドイツ農業・食生活と農業経営構造に関する提言」はその要約を、河原林孝由基・村田武『環境危機と求められる地域農業構造』（筑波書房ブックレット、2022年7月刊）で紹介した。

られる。

2021年の農業部門[3)]の温室効果ガス排出量は6,100万トン（CO_2換算）で、これはドイツの総排出量の約９％に相当する。この6,100万トンのうち約3,800万トンが畜産に起因するものである。このうち、2,300万トンは反芻動物が出すメタンによるもの、約900万トンは家畜糞尿からの排出によるものである。さらに、飼料の肥料化や輸入などによる排出もある。ところが大豆の輸入は、ドイツのカーボンフットプリント（収量単位当たりの炭素の環境負荷）では考慮されていない。ブラジル産の大豆飼料１kgの収穫では約8.2kgのCO_2が発生するのに対し、ドイツ産大豆飼料は約1.6kgのCO_2発生にとどまる。ドイツ産ナタネ粕１kgでは約0.6kgである。こうしたことからすれば、農業経営には飼料の選択などを通じて温暖化防止に貢献する可能性のあることが示されており、国産のタンパク質飼料栽培の強化を政治的に支援すべきである。

関連する政策の調整に加えて、ポイントは消費の転換にある。ドイツでは動物性食品の消費量が多すぎ、それは生態学的影響だけでなく、健康面でも問題が生まれている。たとえば、EAT-Lancet委員会の「地球の健康な食生活」(Planetary Health Diet)[4)]では、畜産物消費量の半減とともに、家畜数の半減が提案されている。ドイツでも同様である。この報告書では、惑星の限界を尊重しながら、増加する世界人口を健康的に養うことが可能であろうとしている。

AbLは、地球温暖化防止対策を意欲的に実施することを全面的に支

3）農業部門における温室効果ガス排出量の計算に含まれる要因には国際基準がある。土壌からのN_2O（亜酸化窒素）、反芻動物からのメタン、農場の糞尿からの排出、エネルギー消費（ディーゼルなど）、その他の小項目である。乾燥泥炭地の利用による排出、鉱物肥料生産による排出、飼料輸入による排出などは含まれない。

持している。ただし、畜産においては、地域の循環、農村の経済発展、畜産の種類、放牧の優位性など、多くの側面に光が当てられ、防止対策での中心的な役割を果たすことが求められている。単純化された「ポケット計算機による解決」、すなわち単純計算では、多くの課題を

4）EATランセット委員会（The EAT-Lancet Kommission）は、16か国の37人の研究者委員からなる委員会（共同議長：W・ウイレット、J・ロックシュトローム）で、2019年1月16日に、2040年に地球上の100億人を養ううえでの「地球の健康な食生活」（Planetary Health Diet）を提案している。そこでの、摂取すべき栄養、タンパク質についての目標は下表のとおりである。

健全な食生活の摂取目標　（1日の摂取カロリー：2,500カロリー）

食品	最大摂取量 グラム（日）	摂取 カロリー（日）	例	比較
野菜	300 (200–600)	78		
乳製品	250 (0–500)	153	牛乳1日1カップ	
全穀物	232	811		
果実	200 (100–300)	126		
いも類または でんぷん野菜	50 (0–100)	39	中型ジャガイモ2個またはキャッサバ1皿（週）	
不飽和脂肪	40 (20–80)	354		
砂糖類	31	120	はちみつ小さじ2杯（日）	
飽和脂肪	11.8 (0-11.8)	96		

タンパク質

食品	最大摂取量 グラム（日）	摂取 カロリー（日）	例	比較
豆　類	75 (0–100)	284		
ナッツ	50 (0–75)	291		
家禽肉	29	62	骨・皮なしチキン（2日おき）またはチキン軽食（日）	
魚	28	40		
牛肉・羊肉・ 豚肉	14	30	ベーコン1切れ（2日おき）または中型ハンバーガー（週1回）	アジアでは1人当たり消費量2倍 アフリカで赤身肉の平均摂取量
鶏卵	13	19	3日に1個の鶏卵（たとえばゆでたまご、パンケーキ）	日本では鶏卵消費量半減、インドでは6倍に

正当に評価することはできず、望ましい結果にはつながらない。そこでAbLは、農業からの温室効果ガス排出量に関して、他の持続可能性の目標を見失ったり、互いに競合したりするのを避けるには、排出量の削減のすべてを家畜数50％削減に負わせるのではなく、排出量を農業全体から50％削減することに焦点を当てるべきことを提案したい。

2）世界的な気候変動に対する正義

北半球の先進国であるドイツには、気候危機と闘う大きな責任がある。この責任は、世界の農業にも及ぶものである。なぜなら、気候変動に対する正義と食料主権は一体であるからだ。世界で８億2,800万人もの人々が慢性的な飢餓に苦しんでいる。ロシアのウクライナ侵略戦争が始まっていらい、その数はさらに増えている。

飢餓の原因はさまざまである。流通の問題、すなわち世界的に見れば、現在、食料は不足しておらず、すべての人が食べられるだけのカロリーがある、最大の原因を挙げれば、それはさまざまな戦争や気候危機の結果などである。飢餓との闘いを真に進展させるためには、気候保護と、食料主権の意味での地域に根ざした農民が主体の農業構造が世界的に優先されなければならない。可能な限り包括的で多様な自給自足は、貧困国の危機に対する確実な回復力と穀物輸入からの自立をもたらす。飢餓に対する短期的なプログラムとして、国連の世界食糧計画（WFP）は、資金不足を改善しなければならない。

ドイツにおける持続可能な畜産は、世界の飢餓との闘いを強化することにもなる。ドイツが大豆の輸入で、EU域外の約260万haの農地を占有していることは容認しがたい。ドイツ国内の栽培穀物の60％は家畜飼料用になっている。もちろんそのすべてがパン用穀物として利用できるわけではない。ドイツにおける冬小麦の生産量は約2,200万トンである。ドイツ農業者連盟（DBV）は、そのうち飼料用小麦約400万トンはパン用と「完全に兼用できる」と推定している。ホーエンハイム大学の計算では、飼料に仕向けられている小麦でパン用にできる小麦の割合はさらに高いとされている。

世界的に見ると、農地の約３分の２が永年放牧地であり、その大部分は永年放牧地としてしか利用できない。この土地を利用するには反芻動物が必要である。その特徴は、温暖化防止のために貴重な草地を食料に転換できることにある。これは、メタンガスを排出しない単胃動物に比べて明らかに有利である。気候変動による影響の軽減し温暖化防止効果を上げるためには、乳牛の飼育はすべての反芻動物の飼育と同じく、トウモロコシなど濃厚飼料を多用する集約的な畜産ではなく、放牧地や草地をベースにした給餌を強化すべきである。経済的にみても、濃厚飼料を減らすことは酪農家にとって大きな利点となる。

食料生産の副産物や適切な輪作作物も貴重な飼料になる。たとえば、間作、クローバ類、ふすま、なたね油搾り滓、テンサイパルプ、わら、ビール粕などである。パンなどの植物性食品１kgを生産すると、平均して約４kgの非食用バイオマスが発生するとされている。これらの副産物に含まれるエネルギーを、人間にとって有用なタンパク質に変換できるのは家畜だけであり、それは非常に賢明な利用方法なのである。

飢餓の危機が進行する過程で、小麦をはじめとするパン用穀物を飼料化すべきだという議論が誘発されている。しかし、ここで品質基準を再定義する必要がある。現在、とくに工業的な製パンに利益を生んでいるのが粗タンパク質またはグルテンの高い含有量であるが、そうした小麦は高品質肥料として鉱物性窒素肥料を必要としている。しかし、小麦作の維持は環境・気候保護の観点からは疑問視されるべきである。とくに乾燥した年には肥料が植物に吸収されないか、不完全にしか吸収されないため、地下水への溶出が増加する可能性があるからである。優れたパン職人は、粗タンパク質の含有量がはるかに低い小麦でたいへんおいしいパンを焼くこともできる。

畜産転換をめざして前政権が設置した（いわゆる「ボルヒャート委員会」[5)]）は、畜産再編のための社会的、科学的に受け入れられやすい提案を行った。これらの提案を政治的に実現することが、現在ではAbLの中心的な要求のひとつである。また、その提案には穀物を節約し、人間の栄養に直接使えるようにする可能性も含まれている。第一段階では肥育豚に20％広い運動場などが提供されるので、穀物生産量約200万トンの栽培農地が、他作物の栽培に転換できることになる。[6)]

３．結論とAbLの要望

農業は2045年までに温室効果ガスの排出量を半減させなければならない。これは畜産にも大きく影響し、家畜を減らさざるを得なくなる。同時に、AbLは畜産が農民的農業の中心的な柱であると確信している。現代のさまざまな課題に対処するためには、多くの農場で持続可能な地域密着型の農地と結合した畜産が求められている。

1）持続可能な食料消費は動物性食品の削減と高価格高品質品を求める

動物性食品の消費はすでに減少しており、さらに減らさなければな

5）「ボルヒャート委員会」(Borchert-Kommission）は、2019年にメルケル政権の連邦農業相であったJ・ボルヒャートを議長として設置された。

6）肥育豚の５％削減は、年間約250万頭の豚を減らすことに相当する。これは、約70万トンの家畜飼料が不要になることを意味する。このうち、約20％が食品産業の廃棄物や副産物、60％（約42万トン）が穀物、20％がタンパク質作物である。

らないとAbLは考えている。大量消費ではなく、より質の高い消費（「より少なく、より良く」）が必要であり、それを政治的にバックアップすることが求められている。食品価格が高騰している時代にあって、それは多くの消費者が求めている課題である。AbLは、適切なベーシックインカムの要求と、人々が尊厳を持って生活できる所得を得る権利を支持する。

2）主としてボルヒャート計画による畜産の転換

ボルヒャート委員会は、その勧告の中で、畜産分野全体における動物福祉の大幅な向上につながる道筋を提示している。農民には明確な目的、発展の機会、家畜の保護、長期的な経済的展望が与えられ、農場には計画的な畜舎改築とランニングコストに資金が提供される。この政策の実施に後れは許されず、建築法にもとづいた勧告が実施され、さらに発展させられなければならない。連邦環境汚染防止法に基づく飼育頭数上限は、持続的で気候にやさしい家畜飼育のための方向づけとしての役割を果たす必要がある。

3）農民への適正価格

バランスのとれた市場環境と需要に対応した生産には、政治的な枠組みが求められる。気候保護、動物福祉、生物多様性のための価格上昇も考慮した市場政策の適切な手段ははっきりしている。「農業将来委員会」でもそれは求められているのであって、政策立案者は今こそそれらを実行に移さなければならない。

4）拘束力のある資源循環バランスの導入とデータ基盤の改善

窒素過剰に的を絞って対処し、農場単位で窒素過剰を削減するためには、すべての農場を拘束する資源循環バランスを導入する必要がある。これは、警戒区域の設定でも可能である。

5）EU共通農業政策（CAP）

CAPは農業政策のもっとも重要な支援・運営手段である。CAPは「第一の柱」の直接支払いが農地面積単位の支払いに純化しているために、畜産の再編には十分な機能を果たすにいたっていない。したがってドイツは、既存の大規模畜産農場に対する支援の適正化を速やかに図り、的を射た方法に転換することが求められる。さらに、乳牛を放牧し、窒素肥料を法定基準以上に削減する農場に対するプレミアも導入されてしかるべきである。

6）国産タンパク飼料の生産強化、非遺伝子組み換えの確保

持続可能で気候正義にかなった畜産・農業は、輸入大豆からの転換が求められる。欧州のタンパク質供給は、農民経営と地域のバリューチェーンにおいて強化される必要がある。そのためには、特許に縛られない非遺伝子組み換え品種の多様性と作物の多様化が求められる。

7）世界貿易の改善

公正で適正な世界貿易は、ドイツ農業と世界の飢餓との闘いのために必要である。AbLはドイツ政府に対し、「EUカナダ自由貿易協定」の批准を拒否するよう要請している。社会的にも気候にもやさしい世界貿易のために、適正な市場アクセスを導入する必要がある。それがあってこそ、実際に漏れ効果や価格ダンピングの回避が可能なのである。

【参考文献】

石坂匡身・大串和紀・中道宏（2020）『人新世（アントロポセン）の地球環境と農業』農山漁村文化協会

一楽照雄（訳）（1974）『有機農法―自然循環とよみがえる生命―』（原著者：J.I.ロデイル）農山漁村文化協会

河原林孝由基（2019）「家族農業をSDGsの主役に―国連『家族農業の10年』を迎えるにあたって―」『農中総研　調査と情報』web誌、１月号、20～21頁
https://www.nochuri.co.jp/report/pdf/nri1901re9.pdf

河原林孝由基（2020）「2020年を迎えるにあたり2015年を振り返る―SDGs時代にパリ協定がいよいよ本格スタート―」『農中総研　調査と情報』web誌、１月号、22～23頁
https://www.nochuri.co.jp/report/pdf/nri2001re11.pdf

河原林孝由基（2021）「SDGs・パリ協定時代に「報徳思想」を学び直す―今こそ求められる“一円融合”と“万象具徳”の精神―」『農中総研　調査と情報』web誌、３月号、10～11頁
https://www.nochuri.co.jp/report/pdf/nri2103re5.pdf

河原林孝由基（2022）「持続可能な農業を考えるにあたって―SDGs時代に農業経済学と食農倫理学の接合を期して―」『農中総研　調査と情報』web誌、１月号、２～３頁
https://www.nochuri.co.jp/report/pdf/nri2201re1.pdf

河原林孝由基・村田武（2022）『環境危機と求められる地域農業構造』筑波書房ブックレット

河原林孝由基（2023）「農業と物質循環（1）―今、人類が大量に放出している「窒素」を巡る論題解説―」『農中総研　調査と情報』web誌、３月号、24～25頁
https://www.nochuri.co.jp/report/pdf/nri2303re12.pdf

河原林孝由基（2023）「農業と物質循環（2）―今、人類が大量に放出している「窒素」を巡る論題解説―」『農中総研　調査と情報』web誌、３月号、26～27頁
https://www.nochuri.co.jp/report/pdf/nri2303re13.pdf

栗木さつき（訳）（2012）『WHYから始めよ！ インスパイア型リーダーはここが違う』（原著者：サイモン・シネック）日本経済新聞出版社

国立大学附置研究所・センター会議（2018）「森林に忍び寄る静かな異変　激増する窒素は地球に何をもたらすのか（京都大学生態学研究センター　木庭啓介教授）」『未踏の領野に挑む、知の開拓者たち』vol.49
http://shochou-kaigi.org/interview/interview_49/

西尾道徳（2007）「EUの第３回硝酸指令実施報告書」『環境保全型農業レポート』No.84、農山漁村文化協会ルーラル電子図書館
https://lib.ruralnet.or.jp/nisio/?p=1366
西尾道徳（2010）「EUの第４回硝酸指令実施報告書」『環境保全型農業レポート』No.150、農山漁村文化協会ルーラル電子図書館
https://lib.ruralnet.or.jp/nisio/?p=1432
西尾道徳（2013）「EUの第５回硝酸指令実施報告書」『環境保全型農業レポート』No.239、農山漁村文化協会ルーラル電子図書館
https://lib.ruralnet.or.jp/nisio/?p=2915
西尾道徳（2014）「アメリカにおける有機農業発展の歴史の概要」『環境保全型農業レポート』No.265、農山漁村文化協会ルーラル電子図書館
http://lib.ruralnet.or.jp/nisio/?p=3211
西尾道徳（2015）「バイオダイナミック農法の生産基準」『環境保全型農業レポート』No.289、農山漁村文化協会ルーラル電子図書館
https://lib.ruralnet.or.jp/nisio/?p=3433
西尾道徳（2018）「EUの2012-15年（第６回）硝酸塩指令実施報告書」『環境保全型農業レポート』No.339、農山漁村文化協会ルーラル電子図書館
https://lib.ruralnet.or.jp/nisio/?p=3849
日本肥料アンモニア協会「化学肥料Q＆A」http://www.jaf.gr.jp/faq.html（最終アクセス日は2023年１月10日）
村田武／レイモンド・A・ジュソーム・Jr（監訳）（2018）『現代アメリカの有機農業とその将来　ニューイングランドの小規模農場』（原著者：コノー・J・フィッツモーリス、ブライアン・J・ガロー）筑波書房
村田武編著（2019）『新自由主義グローバリズムと家族農業経営』筑波書房
村田武（2020）『家族農業は「合理的農業」の担い手たりうるか』筑波書房
村田武（2021）『農民家族経営と「将来性のある農業」』筑波書房
村田武・河原林孝由基（訳）（2023）『ゲルトナーホーフ・ドイツの移住就農小規模園芸農場』（原著編者：ミヒャエル・ベライテス、原著者：マックス・カール・シュヴァルツ）筑波書房
European Commission（2021）REPORT FROM THE COMMISSION TO THE COUNCIL AND THE EUROPEAN PARLIAMENT on the implementation of Council Directive 91/676/EEC concerning the protection of waters against pollution caused by nitrates from agricultural sources based on Member State reports for the period 2016-2019
https://op.europa.eu/en/publication-detail/-/publication/2596c08f-2a8b-11ec-bd8e-01aa75ed71a1/language-en

著者略歴

河原林 孝由基（かわらばやし　たかゆき）
1963年　京都市生まれ
㈱農林中金総合研究所主席研究員
北海道大学大学院農学院博士後期課程在籍中
近著：『ゲルトナーホーフ—移住就農小規模園芸農場—』（共訳）筑波書房、2023年
『環境危機と求められる地域農業構造』（共著）筑波書房ブックレット、2022年
「ドイツ・バイエルン州にみる家族農業経営」村田武編『新自由主義グローバリズムと家族農業経営』筑波書房、2019年所収
『自然エネルギーと協同組合』（共編著）筑波書房、2017年、
「原発災害による避難農家の再起と協同組合の役割—離農の悔しさをバネに「福島復興牧場」を建設へ—」協同組合研究誌「にじ」編集部企画『原発災害下での暮らしと仕事 生活・生業の取戻しの課題』筑波書房、2016年所収

村田 武（むらた たけし）
1942年　福岡県北九州市生まれ
金沢大学・九州大学名誉教授　博士（経済学）・博士（農学）
近著：『ゲルトナーホーフ—移住就農小規模園芸農場—』（共訳）筑波書房、2023年
『環境危機と求められる地域農業構造』（共著）筑波書房ブックレット、2022年
『水田農業の活性化をめざす—西南暖地からの提言—』（共著）筑波書房、2021年
『農民家族経営と「将来性のある農業」』筑波書房、2021年
『家族農業は「合理的農業の担い手」たりうるか』筑波書房、2020年
『新自由主義グローバリズムと家族農業経営』（編著）筑波書房、2019年

筑波書房ブックレット　暮らしのなかの食と農 ㊴

窒素過剰問題とドイツの有機農業

2023年5月8日　第1版第1刷発行

著　者　河原林 孝由基・村田 武
発行者　鶴見 治彦
発行所　筑波書房
東京都新宿区神楽坂2－16－5
〒162－0825
電話03（3267）8599
郵便振替00150－3－39715
http://www.tsukuba-shobo.co.jp

定価は表紙に示してあります

印刷／製本　平河工業社

ISBN978-4-8119-0650-8 C0061